LE POUVOIR DES ANIMAUX

DIDIER VAN CAUWELAERT

LE POUVOIR
DES ANIMAUX

roman

ALBIN MICHEL

IL A ÉTÉ TIRÉ DE CET OUVRAGE

Quinze exemplaires
sur vélin bouffant des papeteries Salzer
dont cinq exemplaires numérotés de 1 à 5
et dix exemplaires, hors commerce, numérotés de I à X

UN MILLIMÈTRE D'ESPOIR

Apparemment, j'ai huit pattes, je mesure un millimètre et je suis âgé de cent trente mille ans. Ça ne m'évoque pas grand-chose, je viens à peine de refaire surface, mais je commence à me familiariser avec les repères de ces bipèdes inconnus qui se réjouissent de m'avoir découvert.

Autant que je puisse en juger, leur espèce est dotée d'une forme d'intelligence – beaucoup moins claire que celle des végétaux et des insectes que j'ai côtoyés précédemment, mais tellement plus vaste... Moi dont la conscience intermittente se limitait jusqu'alors à la perception des conditions extérieures, à l'analyse des présences alentour et aux décisions dictées par l'instinct de survie, il m'a fallu du temps pour m'adapter à cette pensée qui part dans tous les sens, à déchiffrer ce langage mêlant odeurs, images et sonorités, comme chez les plantes et les abeilles, mais truffé d'interférences qu'ils appellent des *émotions*. Des ressentis comme ceux que je captais chez mes contemporains de la dernière fois – la peur, la faim, la douleur, l'agressivité, le bien-être –, sauf que là, ces ressentis se déclenchent souvent indépendamment des circonstances.

Je m'y suis fait, à présent. Il n'y a pas de mérite : j'ai toujours fonctionné comme une éponge, l'une de mes premières voisines sur Terre, que je prenais pour une mousse comestible et qui s'est révélée être un animal comme moi. J'absorbe, je traite et je restitue, que ce soit au niveau des informations, des objectifs ou de la manière de communiquer. Du coup, à mesure que j'apprends à me repérer dans votre brouillard mental, mes capacités d'apprentissage et ma sensibilité se développent de façon considérable. Je ne fais pas qu'assimiler votre intelligence et vos émotions, je les partage. Car la grande nouveauté pour moi est que *je suscite l'intérêt*. Et même l'admiration, cette forme de perception nouvelle qui me permet non seulement de faire connaissance avec votre espèce sous son meilleur jour, mais d'en apprendre davantage sur moi.

Hier encore, j'étais lyophilisé. Comme vos soupes en sachet ou votre café soluble. C'est l'image employée dans la première description dont j'ai fait l'objet à mon réveil, de la part de l'explorateur qui m'a extrait de la paroi d'une faille gelée, à deux cents mètres de profondeur. Il a déposé mon fragment de glace au milieu d'un plateau, sous la grande tente orange chauffée au gaz qu'il occupe avec d'autres savants. Et il est resté bouche bée quand, ramené à température ambiante au bout d'un moment, je me suis mis à remuer les pattes dans ma petite flaque. Il m'avait cru mort. Mais non, je m'étais simplement déshydraté, comme je fais toujours quand les conditions extérieures cessent d'être propices à ma survie. C'est ce que nous avons appris ensemble, dès lors que, sur l'appareil qu'il appelle son « Mac », il m'a identifié dans une banque d'images. Entre-temps, après avoir prélevé tout ce que mon bloc de glace contenait d'important pour eux autour de moi – poussières d'étoiles et bactéries non répertoriées –, ses congénères s'étaient envolés dans un engin en forme de libellule. Alors il a donné l'alerte à distance :

– À première vue, ça ressemble à un tardigrade. Huit pattes, un millimètre. D'après la profondeur, il était piégé dans la glace depuis cent trente mille ans, et il vient de revenir à la vie sous mon nez. Qu'est-ce que je fais ?

On lui a envoyé une spécialiste. *Ma* spécialiste, paraît-il. Sans me vanter, je suis plutôt bien tombé. Ça s'appelle une femme. Vu l'effet qu'elle produit sur mon découvreur, je ne tarde pas à comprendre la notion de trait d'union à laquelle il m'associe désormais. Avant de se mettre en route, elle lui a demandé de me nourrir avec, si possible, un fragment de salade en sachet. Je me suis régalé et j'ai dormi jusqu'à son arrivée, épuisé par toutes ces émotions.

Lorsque, dans la touffeur de la tente, elle a retiré son équipement antigel, il est resté *scotché*, comme il l'a dit intérieurement, sans que je puisse savoir si, dans son champ lexical, cet état s'apparentait aux effets de la colle ou de l'alcool. Dans la foulée, il s'est formulé qu'il était tombé sur une *bombe*, et ça paraissait être un compliment. De son côté, la créature brune aux yeux vert salade ne semblait pas indifférente à ce grand corps musculeux aux cheveux couleur miel.

— Wendy Lane, département de biologie de l'université d'Oxford.

— Frank Debert, glacionaute.

– Vous êtes français ? s'est-elle enquise dans un mélange de méfiance et d'admiration.

– Belge, a-t-il nuancé avec une moue de modestie.

– Il n'y a pas de mal, l'a-t-elle rassuré d'un ton modulé – ce code social propre à votre espèce auquel je commence à m'habituer, et que vous appelez l'humour.

– Bienvenue au Groenland.

– Je ne vous remercierai jamais assez de m'avoir prévenue. D'autres personnes savent que ce tardigrade est en vie ?

– Non. Quand j'ai tapé le mot, c'est votre nom qui est apparu en premier.

– Cool. Il va bien ?

– Il a l'air.

– Il s'est remis en cryptobiose ?

– Pardon ?

– En mode pause.

– Je ne crois pas. J'ai suivi à la lettre le protocole indiqué dans votre mail.

Elle l'en a remercié. Puis, au moyen d'un petit instrument à mâchoires, elle m'a sorti avec d'infinies précautions de ma résidence surveillée – ce récipient de matière inconnue, transparent et percé de trous, où m'avait enfermé le glacionaute. Après quoi elle s'est mise à m'étudier avec cet appareil grossissant qu'ils nomment un microscope.

– Extraordinaire, murmure-t-elle. A priori, je ne vois aucune différence avec un tardigrade actuel. Il est beau, non ? Regardez. Il ressemble à un ourson.

– Je dirais plutôt à une saucisse cocktail.

– Chacun ses références.

Vexée pour moi, elle le repousse et reprend ses observations. Plus elle agrandit mon image, concentrée sur mes caractéristiques, mieux je pénètre sa conscience, ses émotions, sa familiarité avec mon espèce. Ça me plaît bien. Si le premier humain de ma vie ne m'a identifié qu'en faisant des recherches sur une banque d'images, son pendant féminin me connaît par cœur. Elle consacre son temps à étudier mes descendants, et c'est assez flatteur. Ma précédente relation de voisinage n'avait été qu'une connexion à sens unique : n'étant ni butineur ni butinable, je n'avais pas plus d'utilité pour les fleurs que pour les abeilles. Quant à la seule créature carnivore qui un jour s'était intéressée à moi, une libellule, elle m'avait recraché tout de suite. Lorsque, me retrouvant à court de nourriture, je me suis lyophilisé pour ne pas mourir de faim, je n'ai manqué à personne et les millénaires ont passé sans moi. Je n'étais plus qu'une conscience en suspens, congelée dans quelques souvenirs de solitude forestière, et voilà que je me réaccorde à la mémoire des miens tout en l'enrichissant par votre point de vue.

Je m'appelle *Ramazzottius varieornatus* – vulgairement surnommé tardigrade. Ça vient d'un de vos langages disparus et ça signifie « marcheur lent ». Je ne vois pas trop le rapport. Lorsque je suis en activité, je me déplace à une vitesse tout à fait respectable. C'est quand je me vide de mon eau, quand je me mets en mode pause, comme vous dites, que je prends mon temps. À charge pour moi de le rattraper ensuite, le plus rapidement possible, comme je m'y emploie en ce moment.

Chaque fois que je reviens à la vie, je me réactualise. Je pompe les informations locales de la même manière que je me réhydrate à partir de l'humidité ambiante – mais là, franchement, il y a du boulot. La capacité de stockage de ma mémoire sera-t-elle suffisante pour enregistrer tous les bouleversements qui se sont produits sur Terre depuis ma dernière phase consciente ? J'en étais resté, en termes d'innovation, aux insectes pollinisateurs. Apparus en même temps que les plantes à fleurs, ils se nourrissaient de leur nectar tout en les aidant à se reproduire par le transport de leur pollen. Cette merveilleuse relation fondée sur l'échange dure depuis cent quarante millions d'années, si je me réfère à vos connaissances. La manière dont vous avez découpé le temps est assez pratique. Ça me change des cycles de la lune, du rythme solaire et du régime des saisons qui jusqu'alors me servaient de repères. En fait, votre arrivée sur Terre a tout bouleversé, semble-t-il. Je n'étais pas en mesure d'y assister, congelé comme j'étais, alors j'ai du mal à me représenter la manière dont vous avez pris le contrôle d'une planète appartenant à des animaux cent fois plus forts que vous, tels qu'ils figurent encore dans vos images mentales quand vous comparez mon âge au leur.

Et puis, la conception même que vous avez de vos origines est assez floue. On y trouve pêle-mêle du singe, des météorites, un jardin potager, un serpent qui conseille de manger des fruits et légumes. Il est aussi question d'une histoire de boue dans laquelle un vieux barbu habitant les nuages vous aurait façonnés, et d'une côte première qu'il aurait arrachée à l'homme pour en faire une femme. Distrayant. C'est dans l'esprit de Wendy, toutes ces choses ; elle appelle ça des croyances et elle en change d'une minute à l'autre.

Dans la tête de Frank, en revanche, on trouve simplement du vide qui explose pour créer de la vie par hasard. Original, aussi. Autrement dit, vous avez construit le développement de votre pensée non pas sur l'observation et l'empathie, comme moi, mais sur l'imaginaire – pour le meilleur et surtout pour le pire, d'après ce que j'entrevois. Et vous vous massacrez au nom de mythes incompatibles qui vous ont coupés de vos racines réelles. Curieuse conception du progrès. Ça marchait mieux chez les abeilles.

En fait, vous ne me paraissez plus reliés comme elles l'étaient à la conscience universelle, que vous avez remplacée par une notion d'inconscient collectif que j'ai un peu de mal à comprendre, pour l'instant. J'en étais resté à l'intelligence individuelle au service du groupe qui la suscite et s'en nourrit. Quoi qu'il en soit, depuis que vous avez pris le pouvoir sur toutes les formes de vie qui étaient là avant vous, il semble que vous ayez privilégié la destruction à l'harmonie, le conflit à la symbiose, le conformisme à la diversité. Vous appelez ça l'évolution.

*

Tandis que Wendy, sous le regard admiratif de Frank, m'observe et définit mes caractéristiques, l'attention qu'elle me témoigne modifie peu à peu mon ressenti. En fait, je crois que j'éprouve, à titre personnel, ma première *émotion*. Une forme d'énergie incontrôlable, un courant vibratoire qui s'aligne sur le sien. Dans votre système de valeurs, je pense que ça correspond à ce que vous appelez *l'amour*. La différence, c'est que cet état me procure un grand bien-être, alors que, chez Wendy comme chez Frank, il semble indissociable de la souffrance.

Je voudrais demeurer toujours dans cet élan de plénitude, comparable à une digestion sans effort ni fatigue. Sauf que, sitôt son examen terminé, Wendy exige qu'on me recongèle. Notre relation aura été brève.

– Mais, s'inquiète mon découvreur, c'est dangereux, non, la recongélation ?

– Non. Ce n'est pas un steak.

– Je parlais de sa santé à lui.

– À elle. C'est une femelle.

Ah bon. Durant mes courtes périodes de

conscience active, je n'ai pas eu l'occasion de m'en rendre compte, n'ayant pas croisé de congénères. Et je suis d'autant plus surprise quand je l'entends enchaîner :

— Vous voyez, ces petites excroissances dans son dos... Ce sont des œufs. Elle les pond spontanément quand elle mue. Elle n'a plus qu'à attendre qu'un mâle vienne s'enrouler autour d'elle, alors elle stimule son abdomen pour le faire éjaculer sur sa peau, et ça féconde ses œufs.

Tout en se penchant contre elle pour coller son œil à l'oculaire, il demande :

— Il n'y a pas de pénétration, alors ?

— Non, juste de l'arrosage dorsal. Vous êtes déçu ?

— Compatissant.

— C'est moi qui, la première, ai défini son mode de reproduction, en 2016.

— Bravo.

— Pas de quoi. Les comités de lecture de *Nature* et *Science* ont subi des pressions pour empêcher ma publication. Quelqu'un d'autre l'a signée. C'est génial, la revanche que vous m'offrez.

— C'est-à-dire ?

— Les revues ne pourront pas refuser mon article, cette fois. Si un spécimen vivant prouve que l'anatomie, la physiologie et les particularités du tardigrade n'ont connu aucune évolution depuis le Paléolithique, c'est une découverte majeure. Et la personne qui m'a squeezée en 2016 n'est plus en mesure de récidiver.

Il se détache d'elle, à regret, tandis qu'elle se relève pour lui faire face.

– Si je vous demande de la recongeler, Frank, c'est qu'il y a urgence.

– Pourquoi ?

– Vous m'avez dit que, vu la profondeur où vous l'avez trouvée, elle serait âgée de cent trente mille ans.

Frank confirme, et elle se fie à son expérience d'explorateur des glaces. Sauf qu'ils commettent une petite erreur : l'événement qui correspond à cette date, ce n'est pas ma naissance, mais ma dernière interruption volontaire d'existence. Et, sans fausse modestie, ils me rajeunissent beaucoup. Ce n'était pas la première fois, loin de là, que je me vidais de mon eau afin de suspendre mes fonctions biologiques. Je suis probablement, vu les bouleversements climatiques auxquels j'ai assisté, la plus ancienne conscience qu'on ait ramenée à la vie. Mais, si ma mémoire est intacte, je suis incapable en revanche de dater à votre manière la période où j'ai vu le jour. Tout ce que je sais, c'est qu'il n'y avait rien autour de moi, à part des pierres dont je me suis mise à brouter les mousses. Lorsque j'ai épuisé les ressources nutritives de mon territoire, l'eau s'est échappée de mon corps, et j'ai perdu connaissance en attendant des jours meilleurs.

Par la suite, lors de mes différents retours, il y a eu des profusions de verdure, des sécheresses intenses, des inondations gigantesques, des glaciations, des torrents de lave, et puis à nouveau des feuillages comestibles, des brouillons d'animaux qui se répandaient dans l'espace en étalant leur surface molle, d'autres qui optaient comme moi pour le développement intérieur en se fabriquant des organes… Et puis, brusquement, un merveilleux bond en avant : cette coévolution des abeilles et des plantes à fleurs qui m'a donné l'espoir, si vite déçu, de partager enfin l'aventure de la vie avec d'autres formes d'intelligence…

Wendy enchaîne d'un air grave :

– Le problème, c'est qu'un *Ramazzottius varieornatus* ne vit pas plus d'un an et demi.

– Comment ça ?

– En conditions normales de fonctionnement.

Vu la dimension de cette femelle et l'usure de ses griffes, je dirais qu'elle a déjà consommé les trois quarts de son espérance de vie.

– Ah merde…

– C'est le paradoxe du tardigrade : une telle résistance aux agressions extérieures pour une programmation cellulaire aussi courte.

– Vous voulez dire qu'en cent trente mille ans, elle n'aura eu que cinq cents jours ouvrables ?

– Ne faites pas cette tête, il suffit de prendre en compte son âge limite. Pas question de parler d'elle au futur antérieur, mais de ménager son avenir.

Elle lui presse les poignets, et j'accueille leur trouble comme une sensation inconnue qui me dépasse autant qu'elle me densifie.

– C'est un trésor inestimable que vous offrez à la science, Frank. Une opportunité dont je n'osais pas rêver. Donc, je la recongèle, le temps de pouvoir l'étudier dans un environnement approprié.

Il marque un temps, les yeux dans ses yeux.

– Je comprends. Vous l'emmenez à Oxford ?

En guise de réponse, elle sort de son sac une capsule ovale qui se met à fumer quand elle l'ouvre.

– Azote liquide ?

– Oui. –196°C.

– Vous êtes sûre que ça ne risque pas de la tuer ?

– Vous rigolez ? Dès que les tardigrades détectent une anomalie dans leur milieu ambiant, ils évacuent 99 % de leur eau tout en sécrétant à la place un sucre antigel, et ils entourent leur corps d'une couche de cire étanche. Ils peuvent alors survivre indifféremment à un froid de 273°C, le zéro absolu, comme à une chaleur de 150°C. En fait, ils sont extrêmophiles.

Me voilà fixée. N'empêche que, si j'en crois Wendy, mes jours sont comptés. Mais peut-être qu'elle se trompe, que je dispose d'une longévité supérieure à celle de mes descendants. Comment le savoir ? Avant vous, la mesure du temps n'existait pas. Je n'ai pas le sentiment d'être jeune ou vieille, à l'aube de mon existence ou au bout de mes réserves – je ne peux pas vous aider.

De toute façon, si je perçois de plus en plus clairement vos pensées, vous ne semblez toujours pas capter les miennes, malgré tous mes efforts. Au lieu d'interroger ma conscience et d'entrer en contact pour échanger des informations – comme y parvenaient si bien entre elles les fleurs et les abeilles –, vous me résumez à une somme de descriptions et de fonctions biologiques qui vous épatent, vous passionnent, mais ne vous donnent pas l'envie ni les moyens d'aller plus loin. C'est dommage. Dans mes courtes vies précédentes, du silence des pierres à l'indifférence animale et florale, j'avais ressenti la même frustration. À quoi sert de pénétrer les acquis d'une autre forme d'intelligence si cela ne débouche pas sur un dialogue ?

Moralité : Wendy a raison. Au nom du principe de précaution, ce concept que mes ancêtres semblent avoir inventé sur le plan thermique, recongelez-moi. J'espère simplement que, lorsque je reviendrai au monde, nous aurons l'occasion d'approfondir nos rapports.

J'en suis la première étonnée : alors que je n'ai pas le moindre souvenir qui s'intercale entre les abeilles à fleurs de votre préhistoire et cet abri en toile de votre XXIᵉ siècle, ma conscience, cette fois, résiste à la congélation. Peut-être parce que je demeure au centre de vos préoccupations.

Wendy et Frank ne cessent de parler de moi, de m'agiter dans leur esprit, aussi je reste en veille. Au bout du compte, ce n'était pas la température qui avait empêché ma pensée de fonctionner pendant tous ces millénaires. C'était la solitude.

L'engin en forme de libellule qui a déposé la biologiste sur la banquise, tout à l'heure – ils appellent ça un hélico –, est reparti livrer du matériel à une autre base scientifique du Groenland. Il doit revenir les chercher en début d'après-midi. Frank démonte son petit laboratoire et range son matériel pliant, tandis que la casserole d'eau où il a plongé deux sachets commence à bouillir. Je m'émerveille de tous les appareils que ces bipèdes ont mis au point pour domestiquer le chaud, le froid, l'espace et le temps. Seuls le bien-être et la télépathie, semble-t-il, leur sont devenus inaccessibles, depuis qu'ils ont voulu se croire différents des autres animaux. À ce que je ressens, leur intelligence est désormais totalement dépendante de leurs outils. Même cette défense naturelle que leurs ancêtres ont développée face aux difficultés, l'humour, ne les protège plus contre les nuisances qu'ils ont créées.

Plus j'occupe leurs pensées, plus je mesure la décadence de leur vie sociale par rapport à celle des abeilles, ma seule référence avant eux. Elles existent toujours sur Terre, je les vois dans l'esprit de ma spécialiste qui a comparé leur cire à celle que je fabrique pour mon isolation thermique. Apparemment, elles n'ont rien perdu de leurs facultés, elles, pour assurer l'harmonie et la communication au sein de leur collectivité comme dans l'environnement floral. Mais, si j'en crois la colère intérieure que leur évocation provoque chez Wendy, les produits que les humains utilisent pour faire pousser ce qu'ils mangent sont en train d'exterminer les abeilles. Du coup, ils n'auront bientôt plus rien à manger, vu que la reproduction végétale dépend de la pollinisation des butineuses. La chaîne alimentaire sera cassée, les espèces herbivores s'éteindront, l'humanité disparaîtra par voie de conséquence et je me retrouverai seule comme au début de ma vie. C'est malin.

Influencé par le pessimisme offensif émanant de Wendy, mon point de vue se situe au-dessus de la capsule où mon corps gît dans l'azote. Comme si ma conscience était satellisée autour de ces deux êtres qui s'entretiennent de moi.

– Comment tu en es venue à t'intéresser aux tardigrades ?

– Je travaillais sur les bactéries, leur résistance incroyable aux milieux les plus hostiles, leur quasi-immortalité grâce à l'état de dormance qu'elles déclenchent en cas de danger. C'est mon directeur de thèse à Oxford qui m'a orientée vers le seul animal qui a su développer leurs propriétés. Et bien plus encore.

– C'est-à-dire ?

– Ça doit être cuit, non ? Je meurs de faim.

Il ouvre les sachets, répartit dans deux assiettes une vague bouillie.

– Cassoulet, s'excuse-t-il. Je n'ai plus que ça.

– On fera avec.

– « Bien plus encore », tu disais ?

Elle enfourne une bouchée avant de répondre :

– Le tardigrade peut survivre à tout : les températures extrêmes, les pressions les plus fortes, l'absence d'oxygène, les produits toxiques... Le seul qui l'affecte un peu, *in vitro*, c'est l'acide chlorhydrique des sucs digestifs, mais comme on ne lui connaît aucun prédateur, il ne risque rien. Côté radiations non plus : j'ai fait l'expérience avec des rayons X, notamment. Il supporte cinq cent soixante-dix mille rads, alors que l'être humain succombe à cinq cents. J'ai même envoyé Tardix dans l'espace.

– Pardon ?

– C'est mon *Ramazzottius* de démonstration. Je l'ai fait embarquer à bord de la mission Foton-M3, en orbite autour de la Terre. Il a été soumis aux radiations solaires directes et au vide spatial, et il est rentré en pleine forme.

– Je le crois pas... C'est physiologiquement impossible, Wendy.

– L'intensité des ultraviolets a quand même endommagé son ADN, je te l'accorde. Mais il l'a réparé.

– Quoi ?

– Je suis témoin, analyses à l'appui.

– Ça n'a pas de sens. Je sais de quoi je parle.

– En tant que glacionaute ?

– Je suis généticien, le reste du temps. Directeur de recherche à Harvard.

– Alors tu devines la conclusion. La nature ne fait rien pour rien : si cet animal est conçu pour résister aux conditions qui règnent dans l'espace interplanétaire...

Elle souligne ses points de suspension d'un haussement de sourcils.

– ... c'est qu'il en vient, murmure-t-il gravement.

Elle avale sa bouchée en écartant les mains, poursuit :

– En tout cas, c'est sans doute lui qui nous sauvera.

– De quoi ?

– J'ai percé le secret de sa résistance, l'an dernier. La protéine spécifique qui lui permet de réparer ses gènes endommagés. Je l'ai insérée dans plusieurs cellules humaines, que j'ai exposées à des radiations mortelles. Et elles ont survécu.

Il repose sa fourchette dans son assiette. Le ciel lui est tombé sur la tête. Cette bombe aux yeux verts semble en savoir autant que lui en génétique, alors que sa femme d'autrefois, Valentine, ne partageait que sa passion du Groenland. C'est là qu'ils s'étaient rencontrés. En dehors des mois d'octobre où ils risquaient leur vie encordés entre les parois de glace bleue, ils n'avaient rien à se dire. Elle était contrôleuse d'impôts, le restant de l'année. Je ne vois pas trop en quoi cela consiste : Frank a effacé de sa mémoire amoureuse tout ce qui a trait à cette activité. Ce qu'il retient d'elle, hormis leurs plongées dans les entrailles gelées de la Terre, c'est le corps à corps éblouissant qui, chaque jour, abolissait un temps leur différence. Mais l'émotion qu'il ressent à présent dans le regard de Wendy va bien au-delà, c'est comme un vertige de dédoublement. La projection d'une fusion possible avec un être à sa ressemblance. J'ai éprouvé le même vertige tout à l'heure, quand ma spécialiste me décrivait sur le point d'être fécondée par un congénère.

– Wendy... Tu es en train de me dire que si l'on

nous modifiait génétiquement avec des protéines de tardigrade, on deviendrait immortels ?

– Du moins beaucoup plus résistants. Et l'auto-réparation de l'ADN est la meilleure façon de remédier au cancer comme à la maladie d'Alzheimer. J'ai baptisé cette protéine DSUP. *Damage suppressor.*

Frank marque un temps, se tourne vers ma capsule d'azote.

– Et elle, comment tu vas l'appeler ? Tardixia ?

– Non. Hommage à celui qui l'a découverte : Franquette.

C'est fou ce que j'apprends sur moi depuis que je suis branchée sur vous. Je ne connaissais que mon pouvoir déshydratant, mes préférences alimentaires et ma capacité d'absorber l'activité mentale ambiante. Voilà que je découvre non seulement tout ce à quoi mon espèce a les moyens de résister, mais aussi ce qu'elle est susceptible d'apporter à la vôtre.

En même temps, vous m'avez fait prendre conscience d'une réalité que je n'avais jamais envisagée jusqu'alors : je peux mourir, moi aussi. Comme les plantes, les abeilles et vous. Arrêter le temps n'est qu'une solution provisoire. Il me faudrait choisir de ne jamais vivre au présent pour demeurer immortelle – mais quel intérêt ? La vie, c'est l'échange, et, de ce point de vue, je n'ai jamais encore véritablement vécu. J'ai l'impression d'être née pour de bon depuis que je me sens connue, reconnue – aimée, d'une certaine manière, puisque vous m'avez communiqué cette nouvelle notion et que je l'expérimente. Même si vous ne captez pas l'amour que je vous envoie en retour, je m'en nourris d'une manière qui bouleverse ma vision du monde. Et la mort n'y changera rien : quand je me vois telle que je suis dans les pensées de Wendy, je ne suis pas trop inquiète pour ma postérité. Toutes les expériences auxquelles elle se livrera sur moi, comme celles effectuées sur mon descendant Tardix, elle en laissera des traces écrites et filmées – elle s'en réjouit d'avance. Du coup, des millions de personnes perpétueront mon souvenir en s'intéressant à moi, en puisant du rêve et de l'espoir dans ma longévité, ma résistance, mes facultés de guérison ; j'aurai eu mon rôle sur Terre, comme les butineuses et les fleurs, et tout sera bien. Si ma conscience perdure après la mort comme, désormais, elle demeure active à l'état de glace, j'aurai de quoi passer une éternité passionnante.

Le seul problème, c'est la tempête qui vient de se lever. Frank est atterré : la météo n'avait émis l'alerte que pour le lendemain. L'hélico ne pourra pas venir les chercher comme prévu, et ils n'ont plus de quoi manger.

Je ne connais pas l'avenir, mais je ressens leur peur. Lui imagine la mort comme un squelette gelé à qui il demande un sursis, tandis qu'elle, en échange de leur vie sauve, promet de faire l'impasse sur Frank à ce barbu des nuages qu'elle appelle Dieu. Je ne saisis pas bien le rapport, néanmoins je me joins à cette force d'intention qui émane de leur mot « prière ». Squelette gelé ou Dieu de l'impasse, faites que mes deux premiers amis ne décèdent pas avant moi. J'ignore combien de temps l'azote peut se maintenir à −196°C sur cette banquise déserte en voie de ramollissement. Si je me décongèle sans eux, à quoi servira que je vive ?

Le vent a emporté la tente. Wendy s'empare de ma capsule de gaz qu'elle met en sécurité dans son anorak, tandis que Frank emplit un sac à dos avec son Mac, des cordes et quelques objets qui lui tiennent à cœur. Ils bouclent leur équipement de survie, ajustent sous leur capuche cagoule et lunettes de protection. Il lance un dernier appel de détresse sur sa radio couverte de givre, donnant les coordonnées chiffrées de l'endroit où nous retrouver, et il entraîne Wendy dans le blizzard jusqu'aux piquets de fer rouges qui marquent l'entrée du moulin. C'est ainsi qu'il nomme le puits de glace dans lequel il m'a découverte, cette crevasse creusée par les eaux de l'été arctique qui est, dans l'immédiat, leur seule chance de salut.

Il fait –20°C à la surface, et la température remonte

à mesure qu'ils s'enfoncent à pas lents dans la brillance bleue du tunnel en pente douce. Ils passent un virage, un deuxième, et il la fait asseoir, précautionneusement. Sous leurs fesses coule la rivière éphémère qui, recouverte par quelques centimètres de glace, va se jeter dans l'abîme devant eux. Le fracas de la cascade souterraine domine le sifflement du vent. Ils sont à l'abri de la tempête, mais à la merci du redoux qui, d'un instant à l'autre, peut faire céder sous eux la croûte de glace ou s'effondrer la voûte de stalactites qui les surplombe. Entre deux morts éventuelles, Frank leur a choisi la plus calme et la plus rapide. Celle qu'il est habitué à braver chaque année, autour du 10 octobre. La courte période où la neige fondue crée cette rivière déchaînée qui s'engouffre dans la moindre faille qu'elle agrandit sur des centaines de mètres, creusant ces moulins d'exploration qui se refermeront dès que l'eau regèlera.

Ses pensées parcourent toutes ces années où il descendait avec sa femme dans le puits sans fond, les « archives de la Terre », comme elle disait. Encordés côte à côte, ils caressaient d'un millénaire à l'autre les parois où brillaient poussières d'étoiles et bactéries inconnues enchâssées dans leurs vitrines provisoires. Rythmée par les prélèvements d'échantillons, la durée de leur descente dépendait d'une seule chose : les embruns de la cascade en contrebas. Cette humidité fatale qui, portée par les courants ascendants, gèle tout ce qu'elle touche. Valentine venait d'atteindre une profondeur de cent soixante-dix mètres, quand une rupture de mousqueton avait causé sa chute mortelle. Le cri interminable répercuté dans tout le moulin ne s'était jamais tu en lui, ne s'apaisant que lorsqu'il revenait ici chaque mois d'octobre en pèlerinage, pour améliorer leur record à sa mémoire ou la rejoindre enfin.

Cette année, en atteignant les deux cents mètres, il s'est senti quitte. À quoi bon continuer de braver la mort par fidélité ? L'autre passion de sa vie, son œuvre de généticien, prenait de plus en plus d'ampleur ; il était temps de tourner la page. Et voilà qu'il est sur le point de mourir au même endroit que sa femme, en compagnie de l'inconnue dont il vient de tomber amoureux.

– On peut tenir combien de temps ? s'informe-t-elle avec un sang-froid bien imité.

– Si la base de Qirsuk a reçu mon SOS, ils sont à trois heures de motoneige.

– Et sinon ? Si ta radio était HS ?

– Sans nouvelles ni réponse de nous, ils viendront nous chercher, de toute façon. En voyant que la tente s'est envolée, ils comprendront qu'on s'est réfugiés dans le moulin. Tu sens tes doigts ? N'arrête pas de les bouger.

– Ce n'est pas dangereux de rester assis ?

– Si, mais on risque davantage de briser la glace si on marche pour se réchauffer. Il y aurait une solution intermédiaire, mais bon…

– Laquelle ?

– Tu es mariée ?

– Pourquoi ? Flirter fait grimper la température corporelle sans briser la glace ?

– Je ne garantis pas. Mais les attouchements vigoureux, oui.

Il n'en revient pas de ce qu'il s'entend dire avec autant de naturel, lui dont la froideur distante décourage toutes les collègues d'université séduites par son veuvage. Wendy ne se contente pas de lui renvoyer son reflet, elle déteint. Il enchaîne sur un ton conciliant :

– Cela dit, on peut faire caresses à part, si tu préfères.

Elle laisse échapper un rire nerveux. Il lui dit que

l'hilarité aussi, par le biais des vibrations, contribue au réchauffement. Elle arrête de rire, demande sur un ton légèrement provocateur :

– En tout bien tout honneur, alors ?

Il répond que sa femme a péri devant lui sur ce site et que sa proposition est purement thermique. Elle se mord les lèvres sous sa cagoule.

– Je suis désolée. Moi, mon mari a trente-huit ans de plus que moi, c'est un génie, je l'aime à la folie et il se débat contre un Alzheimer.

– OK. On n'a pas le cœur à ça, quoi.

– Mais merci pour l'intention.

– N'arrêtons pas de parler, en tout cas. Tu fais quoi, pendant tes loisirs ?

– Je cuisine, je jardine, je monte à cheval, je discute avec mon perroquet et je restaure une Armstrong-Siddeley Star Sapphire de 1950.

– C'est quoi ?

– La voiture de Winston Churchill. C'était le parrain de mon mari, il lui a légué sa caisse. Et toi, sinon ? Tu as une passion, à part la glace ?

– Disons une obsession. Tu travailles sur un animal indestructible, moi sur une espèce éteinte.

– Laquelle ?

– Le mammouth.

Elle voudrait en savoir plus, mais il lui fait signe de se taire. Il a perçu un changement dans sa voix. Il lui retrousse vivement sa cagoule. Un filet de glace s'est formé au coin de ses lèvres. L'ennemi, dorénavant, c'est tout ce qui est humide, y compris la salive. Du bout des gants, il lui dégivre le tour de la bouche, lui demande la permission de l'embrasser. Elle le regarde sans répondre. Il précise :

– C'est juste pour siphonner ta salive.

– On ne me l'a jamais faite, celle-là.

Elle ouvre en tremblant ses lèvres bleuies, il prodigue ses premiers secours, et très vite l'émotion prend le pas sur l'urgence. Elle se détache brusquement. Il lui remet la cagoule en place. Elle le fixe derrière les verres embués de ses lunettes de protection. Il soutient son regard invisible. De quoi ont-ils peur, de la mort ou de cet élan vital effréné qui est en train de saccager leurs repères ?

Elle revient contre lui, hoche la tête. Alors, il l'enlace et ils se frottent mutuellement à grands coups de gants, de la tête aux pieds. Ils le font jusqu'à l'épuisement, luttant contre les crampes et l'engourdissement, tout en s'imaginant sans vêtements l'un sur l'autre dans des positions complexes.

Ma capsule d'azote, comprimée entre leurs corps, commence à subir les effets de la chaleur que dégage leur étreinte.

SIX TONNES DE RÊVE

C'était peut-être le seul homme capable de me ramener sur Terre. Celui qui rêvait de moi à chaque instant, qui avait l'obsession et probablement les moyens de provoquer ma *désextinction*. Avec mes six tonnes de fourrure et mes défenses torsadées, j'ai disparu voilà quatre mille ans, mais il voyait en moi la seule chance d'avenir pour sa planète.

Et l'impossible s'est produit : une créature infime est en train de me chasser de son esprit. Depuis qu'il est sorti indemne de son tunnel de glace, depuis que les secours l'ont ramené au chaud avec la nouvelle femme de sa vie et cet insecte microscopique à congélation intermittente, je suis hélas passé au second plan de ses préoccupations.

Même son retour en Sibérie parmi les vestiges de mon espèce n'a pas réveillé ses ardeurs initiales. Je sais pourquoi. J'appartiens à la mort, comme sa chère Valentine. Il a passé des années à lutter, de toutes ses forces, pour qu'elle et moi restions d'actualité dans son cœur et ses projets scientifiques. Et voilà qu'une femme de chair et de sang prend la place de son amoureuse défunte, et voilà qu'un invertébré d'un millimètre supplante, en se réhydratant par hasard sous son nez, le plus gros animal susceptible d'être ressuscité par ses capacités de généticien. La course contre la montre qu'il a engagée pour me faire renaître n'est plus à ses yeux une priorité absolue, et sa distraction m'empêche de l'inspirer comme je le faisais auparavant. Je suis en train de perdre prise sur sa conscience et il ne s'en rend même pas compte.

Quand je dis « je », ce n'est pas de l'ego, c'est de la mémoire collective. Je suis un esprit totem ; l'esprit de groupe d'une espèce éteinte. En tant que tel, je rassemble tout ce que les mammouths laineux ont engrangé d'instinct, d'apprentissages, de compréhension, de liens terrestres et de pouvoirs psychiques durant cinq cent mille ans de présence effective dans les steppes de l'Europe et de l'Amérique du Nord. Je suis une base de données, comme vous dites aujourd'hui. Un *cloud*. Disponible pour qui veut et peut se brancher sur une intelligence décorporée ne demandant qu'à reprendre du poil de la bête. Rien à voir avec le spécimen décongelé d'une espèce indestructible tombée du ciel dans un caillou, voilà trois milliards d'années, pour ne servir à rien sur Terre.

Moi, j'ai récupéré une puissance considérable parce que Frank Debert *croit* en moi. Depuis qu'il me considère comme le seul moyen de sauver sa planète face à l'inconséquence des hommes, il déploie pour en convaincre ses congénères une énergie, un savoir et une technique dont je profite en les amplifiant. Plus il me ravive et mieux je le stimule. Nous étions sur le point de trouver la clé de ma renaissance, alors pourquoi s'interrompre pour aller célébrer une fois de plus l'anniversaire d'un décès au Groenland ? Et pourquoi se mettre à fantasmer sur une inconnue hors sujet et sur cet insecte obsolète auquel elle a voué sa vie ? Ce semblant de chenille qui n'a évolué en rien depuis la nuit des temps, ce figurant sans intérêt pour l'environnement qui n'a fourni aucune descendance améliorée, alors que l'éléphant, ma famille survivante, est l'animal le plus avancé, le plus précieux qu'il vous reste – l'équivalent terrestre de la baleine, en termes de spiritualité.

Nous sommes, elle et nous, les gardiens de l'humanité, les métronomes du taux vibratoire qui vous relie à la planète. Nous sommes vos protecteurs et vous nous exterminez pour notre valeur marchande ; nous n'existons plus à vos yeux que par le prix de l'ivoire et de l'ambre gris. Mais quand je dis « nous », ce n'est qu'une solidarité de victimes.

Les éléphants ont leur propre esprit totem, les baleines aussi ; je ne suis qu'un égrégore en souffrance. Une source de savoir en disponibilité, un réservoir d'émotions sans corps récepteur, une onde privée d'antennes. Seuls Frank et ses collègues rivaux ont réussi à capter mes signaux à travers les rêves, les études et les expériences qu'ils me consacrent. Mais les transmissions fonctionnent si mal, aujourd'hui, de notre univers au vôtre, comme entre les espèces vivantes. Vos outils de communication à distance ont atrophié vos capacités sensitives et perturbé gravement les facultés du règne animal. Éléphants et baleines se perçoivent et s'informent avec une difficulté croissante. Le maillage d'ondes électromagnétiques dont vous avez couvert la Terre brouille leurs infrasons et leurs sonars, leur sens de l'orientation, leurs images mentales. Ils se trompent, s'égarent, s'échouent.

Et ce n'est pas tout. Votre culpabilité à leur égard est aussi préjudiciable que vos massacres à but lucratif. L'extinction dont ils sont menacés à leur tour, par votre faute, vous dissuade de leur demander secours et réconfort, ce qui les affaiblit d'autant. Moins vous sollicitez les esprits totems, Frank, plus ils perdent leur pouvoir. Inversement, l'espoir que de plus en plus d'individus placent en moi, grâce à ta science et à tes efforts, génère une énergie susceptible de vous aider grandement, dès lors que vous m'aurez redonné corps. Sans cela, je ne peux rien pour vous. Si vous voulez que j'aie une incidence sur votre avenir, il me faut agir au travers de la structure organique qui fut la mienne par le passé. D'où ta mission.

Cela dit, je ne me raconte pas d'histoires : ce n'est pas pour mes prouesses psychiques que vous avez entrepris de me *déséteindre*, mais pour mes prestations de bulldozer. Je suis sans illusions, sinon sans confiance. Je sais que je suis *la* solution.

Le plus grand danger qui vous guette à court terme, c'est la fonte des sols gelés en Sibérie. Ce que vous appelez le permafrost. Bien sûr, des milliards de virus oubliés se répandraient alors dans l'atmosphère, recréant les terribles pandémies d'autrefois.

Mais, surtout, le dégagement des immenses quantités de méthane et de gaz carbonique prisonniers des glaces provoquerait, d'après vos experts, des dommages supérieurs à cinq fois l'incendie de toutes les zones boisées de la Terre. Sans moi, vous êtes foutus. Parce que le problème des forêts de Sibérie, c'est qu'elles sont écologiquement mortes : la chasse intensive les a désertées, et le sol, qui n'est plus remué par les grands animaux ni nourri de leurs déjections, s'est recouvert de mousse. Sans l'herbe qui absorbe l'humidité, mais avec les feuilles sombres des arbustes qui emmagasinent la chaleur du soleil, la température grimpe désespérément. Et, l'hiver, l'épaisse couche de neige que ne piétinent plus les herbivores à la recherche de nourriture se transforme en isolant thermique, empêchant le sol de geler en profondeur.

Heureusement, sur une zone close de vingt kilomètres carrés, un illuminé de génie appelé Sergueï Zimov a fondé Pleistocene Park, en référence à l'Âge de glace, afin de recréer les conditions qui ont précédé l'arrivée de l'homme sur la steppe. En réintroduisant depuis 1996 bisons, rennes, chevaux sauvages et bœufs musqués dans la toundra, il a déjà réussi à faire baisser la température au sol de dix-neuf degrés. Mais ce n'est qu'un début. L'unique moyen de restaurer pour de bon l'écosystème, ce serait moi. Mon volume et ma puissance inégalés sont seuls capables de déraciner ces millions d'hectares de forêt morte, de régénérer le sol et de renforcer la couche de glace en rétablissant l'harmonie végétale qui régnait de mon vivant.

Alors, à partir des corps de mammouths gelés qui refont surface chaque année par dizaines grâce au réchauffement climatique, Frank a décidé de me cloner. Il est en phase finale – il *était*, avant de me tromper avec ce tardigrade aux facultés pittoresques, j'en conviens, mais totalement inadaptées à la catastrophe écologique qui vous pend au nez. Cet insecte vous survivra, c'est tout ce que vous pouvez attendre de lui. Quel rôle pourrait-il jouer dans le combat de la dernière chance où vous m'avez engagé ? Aucun. Je serai votre unique allié, votre arme et votre emblème. Alors, ne me laisse pas tomber, Frank. C'est moi qui vais sauver l'humanité, comme tu l'as pressenti et décidé. Pas cette nano-saucisse à huit pattes qui t'ensorcelle par contagion, depuis que tu as rencontré au Groenland une femme inaccessible qui te détourne de moi. Le temps nous est compté, ne le gâche pas.

Sans relâche, sa pensée le ramène au moment de leur séparation, à l'aéroport de Kangerlussuaq. Wendy retournait à Londres avec sa bestiole en capsule, lui s'apprêtait à regagner Tcherski après une nuit en salle d'attente et trois escales soumises aux aléas de la météo. Pendant qu'elle attendait son vol, il lui a parlé de moi. Elle s'est enthousiasmée pour le projet, mais c'était juste par politesse. Elle sait cloisonner ses objectifs, elle, les protéger de la contamination des passions d'autrui. Cloner le mammouth, c'est bien, mais ça ne la concerne pas. Elle a assez à faire avec ce vermisseau vivant d'âge antédiluvien qu'elle va s'empresser de comparer à ses congénères actuels. Chacun ses priorités.

Ils se disent au revoir devant les portes d'embarquement. Choc de coudes à l'anglaise, baiser sur les joues à la belge qui dérape et s'attarde. Un trouble mutuel qu'elle évacue aussitôt par prudence, mais qu'il ne pourra s'empêcher d'amplifier au fil des jours, j'en ai bien peur. Il faudra que je fasse avec. Elle et son tardigrade ne cesseront de le déconcentrer quand il travaillera sur mon génome. Et, pendant ce temps, l'équipe concurrente de l'université de New Delhi marquera des points. Je ne veux pas qu'ils gagnent. Là où le protocole de Frank implique ma gestation dans un utérus artificiel, les Indiens prévoient d'implanter l'embryon dans la matrice d'une éléphante d'Asie. Je suis trop gros, ils devraient le savoir : j'éclaterais ses entrailles en me développant. Comme si ces malheureux pachydermes n'étaient pas suffisamment en danger de disparaître. Ajouter au braconnage des trafiquants d'ivoire, à la maltraitance du dressage et à l'esclavagisme touristique un éléphanticide causé par leur ancêtre, c'est inacceptable pour moi.

Par chance, trois jours après le retour de Frank à Pleistocene Park, un événement l'a brutalement ramené sur mon droit chemin. Sergueï Zimov est venu toquer à la porte du baraquement de bois jaune abritant le laboratoire de biochimie.

– On vient de m'en signaler un nouveau. Exhumé par un glissement de terrain et plutôt bien conservé. Tiens, voilà sa position. Je te conseille de faire vite, Frank, pour les raisons que tu sais.

J'aime bien le vieux Zimov. Un passionné compulsif qui, au prix des plus grands sacrifices, a consacré sa vie à ramener vingt mille ans en arrière ce coin de Sibérie. Quand le régime soviétique s'est effondré dans une crise économique sans précédent, il a préféré vendre un bien inestimable, son deux pièces de Vladivostok, pour s'installer avec sa famille en pleine toundra dans ce centre de recherche dédié à la restauration de l'écosystème. Seuls les sages et les fous savent que lorsque l'avenir se bouche, il faut réinventer le passé. Premier institut scientifique privé dans le monde, Pleistocene Park, toléré mais non financé par le président Poutine, vit grâce à des partenariats avec les plus grandes universités étrangères. L'hébergement d'un chercheur pendant six mois permet d'acheter trois bisons et douze rennes. Le centre peut accueillir cinquante résidents en même temps, mais, à l'approche de l'hiver arctique, Frank est actuellement le seul hôte.

Zimov et lui se sont rencontrés au Puy-en-Velay en septembre 2010, lors de la 5ᵉ Conférence internationale sur les mammouths, où le Russe était venu recruter des spécialistes. Ils ont fait connaissance autour du célèbre Liouba, un bébé de cinquante mille ans dont l'estomac contenait une apparence de yaourt non digéré, suggérant que sa mère l'avait allaité une heure avant sa chute mortelle. Encore tout grisé par le poste de directeur de recherche que venait de lui offrir la prestigieuse Harvard Medical School, le petit Belge né sous X s'était laissé envoûter par le savoir et l'ardeur visionnaire de cet enchanteur sibérien. Le clonage à but écologique semblait pour Frank le meilleur argument qu'on pût opposer aux pisse-froid de la bioéthique, et il avait répondu à son appel d'offres avec une décharge d'adrénaline qui avait scellé entre eux une immédiate alliance d'apprentis sorciers.

– Je t'aurais bien accompagné, ajoute Zimov, hélas j'ai un rendez-vous sur Skype avec tes amis japonais.

Clin d'œil complice et bourrade : sous ses allures de clochard missionnaire au béret de travers, le promoteur du retour à l'Âge de glace se comporte avec ses partenaires scientifiques comme un coach sportif, entretenant les rivalités pour assurer l'émulation. L'équipe de Yamagata, à l'université de Kindai, a une grosse avance sur New Delhi et une légère sur Harvard, au grand agacement de Frank. Une avance médiatique, du moins. Les Japonais sont parvenus à raviver des gènes prélevés sur un spécimen mort il y a vingt-huit mille ans. Ils ont extrait du tissu musculaire près de cent noyaux à la structure intacte, qu'ils ont implantés dans des ovocytes de souris, et ils ont observé au cœur des cellules de mammouth une soudaine activité biologique : alignement des filaments, incorporation de protéines et appariement des chromosomes. Ravi d'apprendre que je suis capable de fusionner avec un rongeur. C'est une avancée prodigieuse à leurs yeux, mais j'ai tendance à nuancer leur enthousiasme : ce n'est pas demain que la souris accouchera d'une montagne.

Non, la conception de Frank est bien plus prometteuse. Au lieu de s'épuiser à restaurer mon ADN dégradé dans l'espoir de le rendre viable, il est en train de le recréer numériquement pour le combiner avec celui des éléphants d'Asie, compatible à 99 %. Avec lui, je renaîtrai sous forme hybride, mais c'est toujours mieux que rien. Après tout, ce qui les intéresse chez le mammouth laineux relève moins du respect de l'original que de la stricte observance du cahier des charges.

– Et Orchoï, demande Zimov, tu as des nouvelles ?

Il fait référence au mâle de soixante-dix ans découvert un mois plus tôt dans un lac de l'île Orchoï. État de conservation exceptionnel.

– Non, répond Frank.

– L'autopsie est supervisée par une Américaine, pourtant...

– Conservatrice au Musée d'histoire naturelle de New York, oui. Hélas. Un de ses mécènes finance le projet indien : si elle trouve de l'ADN exploitable, il nous passera sous le nez.

– Accroche-toi, mon grand ! Je sens du bon.

Frank lui rend son accolade avec l'optimisme le plus convaincant dont il puisse faire montre. L'autre lui confie, en clignant de l'œil, qu'il pourrait bien recevoir la visite d'une personne très importante qui aurait les moyens de changer la donne, mais il s'empresse de couper court aux questions par un doigt vertical sur sa barbe en broussaille.

Dès que le Russe est ressorti du laboratoire, Frank rassemble son matériel, enfile son équipement et court vers sa motoneige. En dix ans de présence intermittente sur le site, il a déglacé neuf spécimens, mais jamais il n'a pu arriver avant les braconniers. Jamais il n'a pu observer la carcasse d'un mammouth pourvu de ses deux cents kilos d'ivoire. Les tronçonneurs de défenses sont d'autant plus rapides qu'elles valent près de cent mille dollars pièce et que leur vente est légale, contrairement à celle de l'ivoire d'éléphant, puisque je suis une espèce éteinte.

Il inscrit latitude et longitude dans son système de navigation, part à travers les étendues de neige molle. Au fil des minutes, entre les tourbières aux surfaces uniformes, les lacs gelés envahis de bulles de méthane et la « Forêt ivre », où l'effondrement des sols incline les arbres en tous sens dans des poses chaotiques, Wendy Lane et son tardigrade viennent remplacer dans son esprit le cadavre intact qu'il rêve de découvrir. Quand les reverra-t-il ? Il faudrait qu'il trouve un prétexte pour faire escale en Angleterre lorsqu'il retournera aux États-Unis. Il a un correspondant à l'Institut de génétique appliquée d'Oxford, ça pourrait suffire à justifier la coïncidence, puisque Wendy a un mari. Étant donné leur grande différence d'âge, l'espoir de la voir bientôt brisée elle aussi par le veuvage l'a rendu plus amoureux encore. Du moins il s'y autorise, en croyant percevoir au fond de lui la bénédiction de sa défunte Valentine – simple illusion qu'il se fabrique sous la pression d'un désir impérieux auquel, pour la première fois, il ne cherche pas d'antidote. Un désir curieusement décuplé par la stature du mari, Tyrone Lane, cet athlète léonin qu'il a découvert sur ses moteurs de recherche et dont la puissance allègre évoque si fort la figure paternelle qu'il s'inventait, enfant, pour faire écran aux familles d'accueil qui le traitaient comme un revenu d'appoint.

Même l'urgence d'entamer la phase 1 de mon hybridation, pour augmenter ses crédits de recherche face à la concurrence nippo-indienne, peine à le dissuader d'aller perdre son temps à Oxford. Et il ne remarque pas, sur sa gauche, l'énorme cratère que vient de creuser, pendant son absence, l'explosion d'une nappe de méthane. Ces poches souterraines sont plus de sept mille en Sibérie, prêtes à ravager les terres en empoisonnant l'air, sous l'effet de l'oxygène qui se faufile dans le sol dégelé. Là encore, mon intervention serait le seul moyen de réduire le risque. Mais Frank n'entend plus rien depuis que cette femme l'obsède.

Heureusement pour moi, lorsqu'il arrive à la limite nord du parc, au pied d'un promontoire exposé à la bise, le cadavre qui émerge d'un éboulement du permafrost est en état d'origine, et Frank en oublie le reste. C'est une jeune femelle d'une trentaine d'années, souffrant d'une tumeur cérébrale d'après ce que je ressens. À demi dévorée de son vivant par un tigre à dents de sabre, elle offre une large surface d'épiderme intact à la fourrure abondante et de superbes défenses incurvées autour desquelles s'enroulent des racines.

Le ventre serré, Frank s'approche avec son chalumeau et ses seringues. Le premier prélèvement est toujours le plus important à ses yeux, avant les contaminations inhérentes au dégel. Dans le silence venteux qui attise le souffle de la flamme, il réchauffe lentement l'épiderme au niveau de l'encolure. Aucun instinct ne l'informe du danger qui approche. Lorsqu'il finit par percevoir le bruit de l'autochenille, il se dit que Zimov et son fils Nikita, après leur conférence à distance avec les producteurs de souris mammouthées, ont décidé de le rejoindre pour, comme à l'accoutumée, baptiser la nouvelle dépouille avec une bouteille de vodka.

Ce n'est qu'à l'arrêt des moteurs que, suspendant

sa préparation thermique, il se tourne vers les arrivants. Ils sont trois, harnachés de noir, tronçonneuse en bandoulière et kalachnikov au poing. Ils l'entourent, le mettent en joue. Ils le prennent pour un concurrent qui espérait les devancer. Affolé, il jette son chalumeau, retrousse sa cagoule et, les mains en l'air, baragouine dans son russe de manuel scolaire qu'il n'est pas là pour les défenses, juste pour une ponction. Apparemment, il y a un problème de syntaxe ou de prononciation. Le plus costaud se jette sur lui, le projette dans un bosquet d'arbustes loin de la carcasse, et les trois canons convergent vers lui. Un coup de feu claque. Un autre. Frank, incrédule, voit deux des braconniers piquer du nez dans la toundra. Le troisième s'accroupit vivement derrière l'autochenille, cherchant la provenance des détonations. Un énorme véhicule descend de la colline où il se tenait en embuscade, s'arrête pile devant le mammouth. Deux hommes en parka militaire en jaillissent. Le premier exécute le braconnier planqué d'une balle dans le front, l'autre vient aider Frank à se relever et l'entraîne sans un mot vers la carrosserie blindée aux immenses pneus neige. Sur la banquette arrière, une femme lui tend un thé fumant dans un gobelet Thermos.

– J'ai bien fait de vous attendre ici, dit-elle. Enchantée, Frank, je suis Ivana Kadrova. Je suppose que notre ami Zimov vous a parlé de moi.

En état de choc, il acquiesce d'un couinement.

– J'ai hâte de vous voir à l'œuvre. Buvez une gorgée pour vous remettre et montrez-moi comment vous procédez.

D'une main tremblante, il prend le gobelet en s'asseyant sur la banquette kaki, totalement décalé. Les gardes du corps remontent à l'avant, et un store occultant coulisse sur la séparation vitrée.

– J'espère que cet incident n'entachera pas votre vision de l'âme russe.

Dans un effort de naturel pour se caler sur son ton, Frank la remercie de son intervention comme si elle l'avait aidé à changer une roue.

– C'est la moindre des choses, confirme-t-elle.

Il trempe les lèvres dans la boisson brûlante, tout en observant la géante rousse en doudoune bleue assortie à ses yeux. Son visage tatoué lui dit quelque chose, remanié de fond en comble à coups de bistouri, de botox et d'acide hyaluronique. Âgée sans doute d'une cinquantaine d'années, elle en paraît vingt-cinq ou soixante-dix, suivant les jeux de lumière. À mi-chemin entre la pin-up des calendriers d'autrefois et le prototype transhumaniste, il la trouve aussi pathétique que glaçante.

– J'aime beaucoup la Belgique, reprend-elle, mais vous avez bien fait de vous expatrier. Harvard, ça impressionne un peu plus que Louvain-la-Neuve. Cela dit, quand Zimov m'a parlé de vous, ma première réaction a été de l'envoyer paître. Je lui ai dit : Ça ne vous paraît pas plus urgent d'enrayer la disparition des éléphants que d'essayer de faire réapparaître le mammouth ? Mais il m'a expliqué l'enjeu. Du coup, le projet devient recevable. En tout cas, votre approche est pour moi beaucoup plus rationnelle que celle de vos concurrents.

Les informations se bousculent dans la tête de mon aspirant cloneur. Il glisse :

– Quand vous dites que mon projet est « recevable »...

– Je vous autorise à le présenter à l'OMRA.

Devant son absence de réaction, elle enchaîne d'un ton aigre :

– Normalement, on saute de joie.

– Vous savez, moi, sorti de mes gènes et de mes glaces, je ne suis pas très au fait...

– L'Organisation mondiale des ressources animales. C'est une de mes fondations, que j'ai délocalisée à Genève pour emmerder ce pauvre Bill Gates – le milliardaire qui a créé Microsoft, ça vous dit quelque chose ?

– Quand même, oui.

– En fait, j'ai racheté l'immeuble de GAVI, sa Global Alliance for Vaccines and Immunization. Ne le répétez pas, mais, grâce au Covidgate, je l'ai complètement absorbé, le malheureux Bill. Comme j'ai avalé Google et Amazon.

Frank l'en félicite. Il la prend pour une mythomane, mais il a tort. Ivana Kadrova est la conceptrice du logiciel antivirus le plus vendu au monde. Elle en a fait une arme de cyberattaque imparable, qui lui permet aussi bien de pirater une banque, de noyauter une entreprise et d'effacer une dette que de modifier la trajectoire d'un missile ou le résultat d'une élection. Robine des Bois de la guerre informatique, elle ponctionne les grandes puissances humaines au profit de la cause animale.

– Je suis la maîtresse du monde, aujourd'hui, conclut-elle, mais je suis restée très simple. Je me fais plaisir, c'est tout. Chaque année, l'OMRA donne cent millions de francs suisses à l'un des douze projets animalistes que j'ai choisis. Bienvenue dans la compétition.

Frank déglutit. Il vient de se rappeler d'un coup les circonstances où il a vu son visage, à la une d'un magazine placardé sur les murs de Bruxelles : «*La Brigitte Bardot de la mafia russe.*» C'était au sortir des obsèques de sa femme. Il ne sait comment interpréter le signe.

– À titre d'exemple, reprend-elle, l'apiculteur portugais que j'ai couronné l'an dernier a eu les moyens de faire retirer du marché tous les pesticides tueurs d'abeilles. Si vous gagnez, ce n'est pas un seul mammouth témoin que vous aurez l'opportunité de produire, mais une population entière. Envoyez-moi le dossier complet, et vous le défendrez sur scène à Genève dans un mois et demi – voyez qu'y a le feu au lac. Allons-y.

Elle descend de son véhicule, le précède jusqu'à la dépouille en partie dévorée, où elle l'invite à continuer son protocole de prélèvement. Les mains sur les hanches et la langue collée aux incisives, elle le regarde promener son chalumeau avec la précision artistique d'un coiffeur maniant le séchoir. Elle a omis de mentionner un critère dans l'attribution de sa bourse : généralement, lauréats ou lauréates sont soumis au droit de cuissage. Mais il y a des années sans, où la beauté d'un projet est en soi suffisante.

Lorsque mon généticien a terminé son prélèvement, elle ordonne à ses mercenaires de rester en faction près du mammouth pour empêcher toute dégradation. Quant aux cadavres humains, ils les fourrent dans des sacs isothermes qu'ils entassent dans le coffre.

– Je vous renverrai le Hummer avec une tente et des vivres, leur lance-t-elle, le temps que l'armée prenne le relais. Tous les mammouths émergeants sont désormais classés patrimoine mondial de la Fédération de Russie.

Le hayon électrique se referme, et le chauffeur rouvre les portes arrière.

– Fini, l'amateurisme, conclut-elle en se rasseyant.

*

Frank a rapidement pris le pli de la situation. La milliardaire s'est fait inviter à déjeuner dans la petite salle de séjour attenante au laboratoire de recherche, et il a mis le couvert avec un empressement charmeur. C'est elle qui apporte le repas, sorti tout prêt du frigo de sa voiture : galettes de quinoa, caviar de concombre au boulghour, saucisson de soja, tarama de tournesol, salade de lentilles et vodka. Elle a aussi fourni le troisième convive, qui les attendait devant le poêle à bois, dans l'ambiance cosy du petit pavillon en rondins jaunes contrastant avec la modernité des installations scientifiques.

– C'est mon Youri, présente-t-elle. Ancien coach médical de Poutine que j'ai récupéré, mais surtout meilleur spécialiste au monde en psychologie animale. Il vous aidera à présenter votre dossier selon mes critères d'évaluation : les pachydermes n'ont pas de secret pour lui.

Frank salue le Youri, un vieux chauve aux oreilles décollées auquel il ne manque plus que la trompe pour parachever le mimétisme.

– En admettant que vous ressuscitiez le mammouth, attaque l'éléphantologue en croquant un cornichon, vous ne réactiverez pas seulement des caractéristiques génétiques, mais aussi une intelligence et une sensibilité dont nous ignorons tout, en dehors de celles que manifestent ses descendants. Vous devrez creuser cet aspect dans votre présentation. Si vous vous contentez de recréer une espèce comme on construit un engin de chantier, notre jury vous retoquera.

– Je comprends, le rassure Frank.

Et il entame poliment le repas de graines, songeant avec nostalgie au ragoût d'élan que la cuisinière de Zimov lui avait mitonné à son retour du Groenland.

– La question, enchaîne le comportementaliste, est de savoir si le mammouth, au contact d'*Homo sapiens*, avait développé un tempérament victimaire, défensif ou protecteur. Et si le mixage génétique que vous envisagez avec l'éléphant d'Asie inclura ou non l'empathie de ce dernier envers l'être humain. Nous sommes tout ouïe.

– Sur le plan psychologique, répond Frank, ni le choix des gènes ni l'emplacement de l'insertion ne peuvent garantir une prévalence. Le généticien propose, la nature dispose.

– Je ne veux pas d'eugénisme utilitaire ! stipule Ivana, la bouche pleine. Ranimer une espèce, c'est lui redonner le droit de vivre telle qu'elle était à l'origine, point barre. Et à condition que son retour ne compromette pas l'harmonie actuelle du monde animal – c'est clair ?

Elle se remet à mastiquer en repassant, d'un claquement de doigts, la parole à Youri.

— Le point que madame Kadrova soulève, c'est que parfois une espèce s'éteint afin d'optimiser l'évolution de sa descendance. Exemple, les dinosaures et les oiseaux. Ressusciter l'archéoptéryx, aujourd'hui, ne serait-ce pas mettre en danger le rouge-gorge ?

Frank se rend compte que c'est l'avenir de son rêve qui est en jeu, pas seulement l'augmentation inespérée de son enveloppe budgétaire. On est en train de le sonder bien plus qu'on ne l'auditionne, et sa mécène potentielle a certainement les moyens de torpiller des travaux qu'elle jugerait contraires à son éthique. Il est probable que le comportementaliste a épluché avant de venir toutes les publications du généticien, les avancées dont on le crédite et les controverses qu'il suscite. Frank se dit avec raison qu'il n'y aura pas de moyen terme : il sortira de ce déjeuner la tête hors de l'eau ou les pieds devant.

— La manière dont je reconstitue le mammouth à partir de l'éléphant, répond-il, ne peut que revaloriser ce dernier et contribuer à sa préservation. Je m'y engage.

— N'y a-t-il pas trop d'ego dans votre démarche ?

Un silence. Ce psychologue à deux roubles n'est pas loin de penser que, si mon promoteur a choisi comme spécialité le clonage, c'est pour se venger d'avoir été abandonné à la naissance. Frank riposte que tenter de recréer la vie en laboratoire est la meilleure école d'humilité qui soit.

— Vous n'avez pas d'enfant, je crois.

— En effet. Je ressens moins l'urgence de me reproduire que celle de faire renaître le seul animal capable de nous éviter la fin du monde.

Son évaluateur acquiesce des paupières et lui tend une perche ultime :

— Ce que madame Kadrova souhaite savoir, c'est quelle sera votre priorité, si vous parvenez à obtenir un mammouth viable. Le réinsérer d'office sur son sol natal ou le « réinitialiser » au contact des éléphantidés qui l'ont remplacé ?

Frank s'essuie la bouche, perplexe. Le nez dans les gènes et l'œil rivé au microscope, il ne s'est jamais posé ce genre de question. Il ne sait quelle réponse attend son éventuelle bailleuse de fonds. Il choisit le biais de la diplomatie :

— Je pense que la réinsertion en milieu naturel et les expériences de sociabilité « trans-générationnelle », si je puis dire, se feront de manière concomitante, dès lors que nous disposerons d'un nombre suffisant d'individus. Mais c'est vous qui en déciderez, si vous financez la recherche.

— Ce qui m'intéresse, tranche Ivana, encore plus que de refroidir la Sibérie, c'est de voir comment l'éléphant accueillera le mammouth. Quelle leçon d'humanité il nous donnera.

Je ne suis pas loin de partager sa curiosité, même si je trouve, comme Frank, que les gens trop riches ont un peu tendance à transformer les urgences planétaires en terrains de jeux.

— Il s'agira de trouver un écosystème intermédiaire qui permette leur rencontre, improvise-t-il. Le mammouth laineux est conçu pour les froids extrêmes, pas l'éléphant.

— Il s'adapte à tout ! barrit Youri d'un air froissé, comme s'il ripostait à une attaque personnelle. En 2012, un camion qui transportait deux éléphantes de cirque a pris feu sur l'autoroute R 23. On les a sorties des flammes in extremis, et elles se sont retrouvées sur le bas-côté à −35°C. Une température fatale pour elles, à coup sûr. Vous savez comment elles ont survécu ?

Frank se creuse. L'autre attise le suspense en

oscillant de la tête au-dessus de ses doigts joints, puis finit par laisser tomber d'un ton extatique :

– Leurs soigneurs leur ont donné une bassine de Stolichnaya.

Frank met du temps à réagir, conscient que son commentaire aura valeur de test.

– La vodka fait des miracles, choisit-il de conclure en levant son verre avec flagornerie.

– Non ! rugit Ivana en abattant son poing sur la table. Elles n'auraient jamais ingurgité une boisson inconnue, si elles n'avaient pas vu dans la tête de leurs soigneurs que c'était la manière dont eux-mêmes résistaient au froid. Ce qui caractérise les éléphants, c'est une absolue connexion avec l'être humain qui leur inspire confiance.

– Absolue ! confirme son médecin. Vous voulez le meilleur exemple de leur intelligence affective et des pouvoirs psychiques qu'elle stimule ? Mon ami Lawrence Anthony, l'un de leurs plus grands défenseurs, a fondé en Afrique du Sud la réserve de Thula Thula pour leur assurer à la fois une protection complète contre les braconniers et des conditions de liberté optimales. Quand il est mort, plusieurs troupeaux sauvages ont entamé une procession à travers la réserve, convergeant vers sa maison devant laquelle ils sont restés immobiles pendant deux jours et deux nuits. Pur hasard, ont conclu les sceptiques habituels, en soulignant que le cadavre ne se trouvait même pas là, mais à l'hôpital de Johannesburg, six cents kilomètres plus loin. Sauf que…

L'œil brillant, il passe la parole à sa patiente qui achève de saucer la barquette de lentilles.

– Les mois suivants, dit-elle, les éléphants sont restés comme à leur habitude à une vingtaine de kilomètres de la maison. Et puis, au bout d'un an, la veuve d'Anthony organise sur place, pour tous les amis du défunt, une cérémonie du souvenir. À l'heure dite, les mêmes troupeaux se sont présentés sous ses fenêtres.

Frank les laisse raconter, poliment, mais il connaît par cœur ce genre d'interactions. Depuis qu'il a opté pour le clonage hybride, il s'est immergé dans l'univers de ses futures donneuses d'ovules. L'année précédente, il a passé une semaine à Chiang Mai, en Thaïlande, dans une école d'art pour éléphants où les élèves exécutent devant les touristes des natures mortes ou des autoportraits. Il repense notamment à Soto, une artiste de quatre ans et trois tonnes qui se dessinait sur la toile, à trompe levée, en huit minutes trente. Des jours durant, il a observé sa technique, la précision de son trait, les infimes variations qu'elle introduisait dans la reproduction de son image jusqu'à la touche finale, une fleur qu'elle peignait au bout de sa trompe, en lieu et place du pinceau qu'elle tenait dans la réalité. À la boutique de l'école, ses œuvres exposées valent trois cents dollars, mais dépassent couramment les dix mille aux enchères chez Christie's. Le produit de la vente est officiellement reversé à une fondation censée contribuer à sauver l'espèce. Frank s'est quasiment persuadé que ces apprentis peintres en trompe-l'œil sont conscients de gagner leur vie au service de leur cause. Il ne mesure pas la brutalité cynique des mois de dressage nécessaires à cette fumisterie caritative.

Un des téléphones d'Ivana sonne dans sa poche. Elle pose sa fourchette, attrape sa doudoune et sort répondre.

– Comment vous la trouvez ? s'enquiert le comportementaliste avec un regard en biais.

– Épatante, s'empresse Frank. Elle est vraiment aussi riche qu'elle le laisse entendre ?

– Bien plus encore, soupire-t-il d'un air sombre en vidant la bouteille de vodka. Troisième fortune mondiale derrière une paire d'émirs à trône éjectable. Elle contrôle tous les systèmes de sécurité, les satellites, les médias, les religions, les machines à voter, les fluctuations de la Bourse, les données personnelles… D'ici la fin de la décennie, elle aura supprimé la chasse, la pêche, l'élevage, la viande, le pétrole, le gaz, le nucléaire et les éoliennes qui perturbent les vaches. La seule énergie autorisée sera fournie par l'anguille électrique, le projet gagnant d'il y a deux ans. J'exagère à peine.

– Vous avez du souci à vous faire, mon cher Frank, sourit la géante rousse en rouvrant la porte du laboratoire. Je viens d'avoir des nouvelles d'un de vos projets concurrents. Les candidats ont réussi non seulement à décrypter le langage des dauphins, mais à le programmer dans un logiciel qui leur a permis de communiquer avec eux. Ils m'envoient trente minutes de conversation générale, spirituelle et sexuelle, incluant l'alerte donnée sur un tsunami à venir. Vous prenez du dessert ?

*

Après le déjeuner, ils sont allés examiner au microscope électronique le matériel prélevé par Frank trois heures plus tôt. Pas terrible. Tissu musculaire nécrosé, ADN fortement dégradé.

– C'est numérisable ? s'informe Ivana.

– Impossible de vous le dire ici. J'effectuerai d'autres ponctions et je verrai ça à Harvard avec mes amplificateurs. Je repars demain.

– Vous faites une escale à Oxford ?

Les orteils de Frank se contractent dans ses bottes fourrées.

– Pourquoi ? demande-t-il d'un ton qui se voudrait détaché.

– Moi aussi. Prenons mon jet.

Il la dévisage, écarlate. Elle sourit, abat la main sur son épaule droite et la malaxe.

– Habituez-vous, mon petit Frank, à ce que je n'ignore rien de mes lauréats potentiels. Wendy Lane est finaliste de ma bourse, au titre des pouvoirs anticancéreux de son tardigrade. Elle m'a parlé avec beaucoup d'émotion du généticien qui lui a offert le doyen de l'espèce. C'est pour ça que j'ai demandé à Zimov de m'organiser une rencontre avec vous. Dans le combat animaliste, c'est aussi l'affrontement des sentiments humains qui m'intéresse. Et là, j'ai hâte de savoir comment Wendy et vous allez concilier votre attirance mutuelle et les tensions nécessaires à la compétition.

LE PARADIS SOUS TERRE

LE PARADIS SOUS TERRE

Quelle merveille, toute cette intelligence animale en connexion avec moi ! Je suis tellement heureuse d'avoir quitté le Groenland… Depuis mon arrivée au pays de Wendy, dans ce vieux cottage croulant de lierre au-dessus d'un laboratoire souterrain, je découvre enfin une existence utile, entourée, solidaire. Pour le cheval, le perroquet, le chat et la chienne qui règnent sur la propriété, le lien dans lequel je m'inscris est celui qui les attache à Wendy. Et ce lien s'est révélé plus fort que la jalousie instinctive qu'ils ont éprouvée en me voyant débouler sur leur territoire. Je fais partie des passions de leur compagne, donc je relève de l'amour qu'elle leur inspire.

Et puis, il y a Tyrone. Le vieux mari de Wendy a consacré sa vie aux performances de mon espèce, qui lui ont valu jadis un prix Nobel de physiologie. Dans la purée mentale où se débattent aujourd'hui ses souvenirs, mon irruption a donné un coup de fouet à son rapport au temps. C'est comme si ma longévité extrême compensait le déclin de son cerveau. Il ne parle que de moi, quand la nuit tombe. Le matin, il m'oublie et me redécouvre en fin d'après-midi, suggérant à Wendy de tenter sur lui une expérience à laquelle elle se livre depuis son retour à Oxford et dont elle lui commente, chaque soir, le résultat comme un cadeau qu'il déballe sans fin.

Tout a commencé quand elle m'a prélevé au microscope un petit échantillon, où elle a isolé ces protéines DSUP que tous deux étudient depuis des années. Tandis que ses instruments s'affairaient sur moi, j'avais l'impression de découvrir ce qu'elle appelle faire l'amour, lorsqu'elle songe à son mari plus jeune ou à Frank dans le futur – cette fusion entre deux énergies qui peu à peu se mettent à vibrer au même rythme. Depuis, je me sens exister aussi fort dans ses pensées quand elle travaille sur moi que dans les cellules de Tyrone lorsque l'aide-soignant y injecte mes protéines. Et c'est extraordinaire pour moi de régénérer cet organisme en demande, tandis que j'en mesure l'effet dans le cœur de Wendy. C'est le premier échange qui se produit dans ma vie.

Alliant la puissance massive du bourdon à l'élégance de la libellule, Tyrone Lane est une force de la nature, un homme extrêmement imposant dont le fils de soixante ans paraît le pâle brouillon. Ce parasite qui vit sous leur toit s'appelle Dick, et il se méfie de moi depuis mon arrivée, me considérant comme un espoir dangereux. De fait, malgré ses mises en garde, les résultats sur Tyrone confirment jour après jour ce qu'indiquaient les premières analyses : la protéine DSUP dont je suis porteuse est infiniment plus active que celle qui assure les réparations génétiques des tardigrades actuels. D'où la décision qu'a prise Wendy en vue de régénérer ma race : m'accoupler avec Tardix.

Dès qu'elle m'a mise en présence de mon lointain descendant, il s'est carapaté à reculons jusqu'à la paroi de la cage en verre. Les mâles de mon espèce ne semblent pas très portés sur la chose... Ma spécialiste était pourtant certaine que, dès qu'il apercevrait les œufs en attente de fécondation dans mon dos, il se précipiterait pour s'exciter sur les protubérances. Peut-être est-ce notre différence d'âge qui le refroidit.

Lorsque le contact mental finit par s'opérer entre lui et moi, je suis un peu rassurée par la raison de son manque d'empressement. Ce n'est pas contre moi : ce sont mes œufs qui ont dépassé la date de péremption. Il ne va pas gâcher sa semence en arrosant pour rien de la matière morte. En revanche, il se montre très prodigue en informations de toute sorte sur le monde d'aujourd'hui, tandis que je le renseigne de mon mieux sur ses origines. Et il m'indique, accessoirement, la manière de me déclencher une mue par friction contre une paroi. Ce sera le meilleur moyen, à l'en croire, de me débarrasser de mes œufs morts pour en produire de plus frais, qu'il se fera alors une joie de féconder. Je ne m'attendais pas à de telles avances. Les humains emploient une image assez appropriée pour traduire ce que je ressens. Ils disent qu'ils *rougissent*.

N'empêche, après tant de millénaires de solitude en vase clos dans l'indifférence des autres, ces échanges avec mon jeune congénère sont un pur délice, l'équivalent de ce que Wendy appelle le Paradis : cet univers idéal où elle se projette la nuit, souvent, pour retrouver l'enfant qu'elle n'a pas réussi à faire naître sur Terre. Moi, dans mon Paradis en sous-sol, je compte bien, avec l'aide de Tardix, réaliser à sa place ce rêve qui lui a été refusé.

– Il n'a pas l'air de la calculer, observe le petit laborantin qui l'assiste à mi-temps.

Comme si elle percevait enfin la bonne nouvelle que je tente de lui communiquer, Wendy répond au stagiaire que chaque jour, il faudra me remettre en présence de mon partenaire potentiel, mais pas plus d'une demi-heure, pour nous laisser le temps de faire connaissance sans que les préliminaires nous consomment trop d'espérance de vie.

Et elle nous recongèle.

*

À dire vrai, j'apprécie de plus en plus ces suspensions d'activité physique qui renforcent mes capacités mentales, me permettant de communiquer d'une façon plus fluide avec les consciences animales du périmètre. Darwin, le cheval, est celui qui me correspond le mieux. C'est lui qui partage avec Wendy, quand elle le monte, la plus grande intimité corporelle, affective et protectrice. Il se réjouit de sa passion pour moi et du réconfort qu'elle y puise dans la vie difficile qu'elle s'est choisie, auprès de ce mari écrasant à qui elle doit tout et qui se rembourse au centuple. Elle était son étudiante quand il l'a épousée, au grand dam de son fils qui fantasmait sur elle, et leur cohabitation forcée est devenue un poison pour chacun des trois.

Biologiste médiocre ne brillant que par son nom de famille, Dick Lane, aussi jaloux du génie de Tyrone que de son succès auprès des femmes, n'a eu de cesse de détruire son ménage en le persuadant de signer, pour leur donner plus d'écho, les publications scientifiques de Wendy. C'est l'Alzheimer qui a sauvé leur couple, d'après le cheval, en inversant le rapport de force. Lui-même a essayé de stimuler autant que possible la mémoire et la concentration de son cavalier. Mais il pense que mon arrivée dans ce foyer, l'enthousiasme et l'espoir que j'y apporte colmateront le cerveau naufragé du vieil homme bien mieux que l'équitation à laquelle son médecin l'a fait renoncer.

Je suis très émue par l'abnégation tendre de cette monture dont le cœur est chevillé aux humains depuis tant de générations, malgré les mauvais traitements, l'incompréhension et les boucheries chevalines. Le perroquet, lui, est beaucoup plus tordu. Après dix ans de vie commune se limitant aux échanges nutritifs et verbaux, voilà que Red Bill, suite à une évolution hormonale, a choisi Wendy comme future femelle et entrepris à son adresse d'intenses manœuvres de séduction. Sentant que, de ce point de vue, je ne représente aucun danger, il me narre avec une chaleureuse fierté ses exploits de drague interespèces. Il lui a tout fait : une cour pressante à base de cadeaux alimentaires – cafards, mouches ou mulots – , des parades nuptiales à son réveil, assorties de déjections sur son rival humain, jusqu'à la phase ultime : la présentation du nid. Chaque matin, il lui propose une nouvelle habitation, qui va de la couche de paille sous le buffet du salon au trou creusé dans le fauteuil de Tyrone, en passant par la boîte aux lettres garnie de lichens, la sacoche de cours aux copies déchiquetées et la cocotte-minute tapissée de lingettes déma-quillantes. À chaque fois, l'humaine décline les offres de logement en s'efforçant de ne pas le vexer, ce qui décuple son instinct de conquête.

Un peu désorientée par ces débordements, je me ressource avec la calme affectivité d'Elvis, le siamois de Wendy, qui se réserve le droit d'euthanasier l'amoureux à plumes si d'aventure il s'en prenait physiquement à leur maîtresse. Avec une certaine envie, je découvre les capacités mentales de ce chat, la manière dont fonctionne son action télépathique, bien au-delà de mes prestations d'éponge absorbante. Offert par Tyrone à Wendy pour leur anniversaire de mariage, il a donné la mesure de son attachement au couple un jour de dispute où, sans laisser d'adresse, elle était partie se réfugier chez une amie d'enfance. Le soir même, Elvis s'est branché sur ses fréquences vibratoires et il a voyagé durant une semaine, à travers bois et rues, jusqu'à cet appartement londonien où il n'avait jamais mis les pattes. Là, sitôt requinqué par une assiette de crevettes et la stupeur éblouie de la fugueuse, il a griffé la porte du vestibule jusqu'à ce qu'elle reparte avec lui.

Quant à la chienne Twiggy, c'est une vieille âme romantique dans un corps de bobtail, qui passe des heures à câliner frénétiquement un lapin en peluche faute de pouvoir sauter au cou de sa maîtresse, ses quarante-cinq kilos lui ayant déjà causé deux entorses et trois lumbagos. Wendy l'a rencontrée huit ans plus tôt sur la route d'Oxford, attachée à un tronc par son ancien propriétaire parce qu'elle était devenue trop grosse, et la chienne a découvert le bonheur d'être aimée sans perdre pour autant sa peur panique de l'abandon. C'est elle qui, les premiers temps de l'Alzheimer, retrouvait Tyrone chaque fois qu'il partait à vélo sans se rappeler le chemin du retour, et elle le ramenait discrètement pour éviter que Wendy s'inquiète. À présent qu'il ne sort plus, elle guette les nuages. L'année précédente, lors d'un épisode hivernal particulièrement sévère, l'enfant d'un voisin s'est retrouvé enseveli sous une coulée de neige, alors elle a couru le dégager pour l'offrir à Wendy. Depuis, elle fixe intensément les moindres gouttes de pluie en attendant qu'elles se transforment en flocons. Pas facile d'assouvir dans la campagne anglaise une vocation de chienne d'avalanche.

Entourée de tout cet amour vigilant dont elle ne perçoit que l'ambiance générale, ma spécialiste continue malgré elle de mêler à l'obsession professionnelle que j'incarne, pour mon plus grand plaisir, l'image de ce beau glacionaute auprès de qui elle a failli mourir de froid. Ce matin, après avoir nourri ses animaux et son mari, elle prend sa voiture pour aller donner un cours à son université. Je sais ce qui l'y attend. Demeurant connectée à

Frank en tant que trait d'union qui les relie, je me félicite de leurs prochaines retrouvailles. Bien que, vu le contexte dans lequel il va débarquer, je nourrisse assez peu d'illusions sur l'avenir de leur coup de foudre.

*

Le campus n'est qu'à dix minutes de chez elle, mais elle est partie une heure plus tôt pour faire un crochet par Kidlington. Dans son cartable, entre les feuilles de son cours de biologie, elle a glissé une seringue.

Au sortir du village, elle gare sa voiture sur le parking du petit aéroport privé et sort contempler les deux avions d'affaires à l'arrêt sur le tarmac. Un troisième est en approche. Elle le regarde atterrir, tandis qu'un texto lui confirme le lieu de son rendez-vous : Cessna 680 noir à bande rouge. Rajustant son écharpe sous le soleil venteux, elle traverse la piste en direction du jet dont la porte bascule. Un gros chauve aux oreilles décollées l'accueille en haut de l'escalier mobile.

– Youri Nelseiev, coach médical d'Ivana. Vous avez vu mon assistant Igor, la dernière fois.

– Bonjour, docteur.

– Je suis là à titre privé, vu ce que vous transportez. Toujours pas d'essai officiel sur l'être humain ?

– Ivana m'a demandé de rester discrète.

– C'était une question piège, merci de cette réponse.

Il la conduit jusqu'au salon-bureau de l'avion où sa patiente, un caniche aux aguets sur les genoux, achève une conversation téléphonique en adressant un sourire de bienvenue à Wendy. Elle raccroche et retrousse sa manche gauche.

– C'est gentil d'être passée, je sais que vous êtes à la bourre, moi aussi : j'ai le rendez-vous suivant dans une demi-heure. Mais la première injection m'a fait tellement de bien que j'avais hâte qu'on renouvelle.

Wendy lui rend son sourire. Elles se sont rencontrées fin août lors d'un concert caritatif à l'Albert Hall de Londres. Pendant l'entracte, ma biologiste lui a parlé des bienfaits extraordinaires que les tardigrades pouvaient apporter à la santé humaine, et son dossier de candidature au concours d'animaux a été validé quinze jours plus tard, en échange d'une intraveineuse.

Tout en sortant la seringue de son sac, Wendy

lui rappelle qu'on ne dispose d'aucune donnée, d'aucun recul quant à la fréquence optimale du traitement.

– Je ne vais pas vous signer une décharge à chaque fois, s'agace Ivana. Vous vous contentez de fournir, c'est Youri qui assume les risques.

Le médecin prend la seringue avec une mimique résignée, expulse une giclée de liquide.

– Et ce que vous fournissez, poursuit la Russe, dites-vous que c'est un argument au service de votre projet. Ça vous donne une sacrée avance, mon petit, que je sois à la fois cobaye et décisionnaire. OK ?

Soucieuse, Wendy lui demande si ça ne risque pas de créer un problème d'éthique aux yeux du jury.

– Et alors ? Mon jury, c'est un élément de réflexion, rien de plus. J'écoute son avis, je le rétribue et je tranche.

Elle serre les dents le temps de l'injection, tournée vers le hublot, enchaîne :

– Et votre mari, il en est où ?

– Ça va, merci. Mais là encore, j'avance à l'aveuglette.

– Vous voyez une différence ? Il retrouve la mémoire ou pas ?

– Disons qu'il sectorise.

– C'est-à-dire ?

– L'Alzheimer n'est pas une simple forme d'amnésie, Ivana, mais une défaillance dans l'organisation des souvenirs et la perception du réel. Il semble que la DSUP restaure les connexions du cerveau secteur par secteur, en créant une nouvelle horloge interne.

– Concrètement ?

– À tel moment de la journée correspond tel pan de son passé, qu'il revit au présent.

– Pas simple. Moi, c'est plus clair : grâce à vous, l'urine est fluide et les marqueurs en baisse. La dose que je viens de recevoir, elle provient du spécimen préhistorique surgelé au Groenland ?

– Comme vous me l'avez demandé, oui. Franquette.

– L'étude comparative des effets, on l'aura fin novembre ? lance-t-elle à son médecin.

– Possible, répond Youri Nelseiev. Mais déjà, la DSUP du tardigrade contemporain a été d'une efficacité remarquable...

– Non, il me faut du spectaculaire pour faire la

différence avec les autres dossiers. Ma pauvre Wendy, vous n'imaginez pas le niveau de la compétition, cette année. Vous comptez toujours venir avec Tyrone ? C'est sûr que s'il est en état, ça pèsera dans la balance. Vous feriez quoi des cent millions ?

– Un élevage intensif des tardigrades issus de Franquette, répond-elle spontanément. Partout dans le monde, pour que sa protéine puisse profiter à toute l'humanité.

– Et les tardigrades, ils y gagneront quoi ?

Sans se laisser démonter, ma spécialiste lui désigne le caniche qui monte la garde sur son ventre avec une fierté sereine.

– Demandez-lui. Rien ne prouve scientifiquement que l'animal soit conscient du bien qu'il fait, mais sa joie le suggère.

– Et la joie d'un arthropode d'un millimètre, elle se manifeste comment ?

– Je vous montrerai, un jour. On voit tout au microscope électronique.

– Allez, filez rejoindre vos étudiants, coupe Ivana en reprenant son téléphone, on reste en contact. Je vous briefe sur mon état et vous me tenez au courant pour votre mari, bonne journée. Moteur ! crie-t-elle sans transition en direction du cockpit.

Elle consulte ses messages, tandis que le médecin raccompagne Wendy sur le tarmac.

– Vous pouvez sortir, lance Ivana en faisant pivoter son fauteuil vers l'arrière.

Frank ouvre la porte des toilettes et vient reprendre sa place en face d'elle.

– Maintenant, je suppose, vous comprenez mieux mon dilemme : quel message dois-je envoyer au monde cette année ? En attribuant ma bourse, quelle priorité vais-je définir, quelle urgence vais-je confier aux Ressources animales ? Sauver des vies individuelles ou réparer la planète ? Wendy et vous ne présentez pas les dossiers les plus solides, loin de là, mais certainement les plus emblématiques. Et ceux qui me concernent particulièrement, à titre personnel.

Elle emplit deux mugs de vodka, lui tend le premier, vide le second avant qu'il ait eu le temps de trinquer, récapitule :

– D'un côté, votre projet ferait de mon pays le fer de lance de la survie écologique ; de l'autre, la découverte de Wendy est peut-être en train de m'éviter la mort. Voilà. Je vous ai laissé entendre

97

notre conversation pour que vous sachiez où vous situer par rapport à elle, quand vous irez lui faire la surprise – elle donne son cours au Queen's College dans un quart d'heure.

Frank soutient son regard et croit reprendre l'avantage en lui demandant :

– De quoi souffrez-vous, exactement ?

Ivana Kadrova le fixe d'un air éloquent, comme si les symptômes se lisaient dans ses yeux. Il ne voit pas. Depuis qu'ils ont décollé de Sibérie, elle l'a fait parler du mammouth sans discontinuer. Pas un mot sur elle-même. Après cinq secondes, elle lui répond :

– Cancer de la prostate.

– Pardon ?

– Je suis né Ivan Kadrov. Je m'étais marié et j'avais fait deux enfants avant de changer de sexe, en 2013.

Frank tombe des nues. Sur Wikipédia, il n'a trouvé que la liste de ses entreprises et le montant supposé de sa fortune. Aucun élément de vie privée.

– Je venais de gagner mon premier milliard et je n'avais plus besoin de faire illusion. Mais j'ai gardé mon épouse. Je suis devenue sa compagne et nos fils m'appellent mamochka, c'est tout ce qui a changé. Quelle ironie, n'est-ce pas ? On récuse sa condition masculine parce qu'elle n'est qu'un leurre anatomique, et voilà comment elle vous rattrape.

Esquissant un sourire de compassion solidaire, Frank s'efforce de réagir avec le plus de naturel possible :

– Pardon, mais... Dans l'opération, on ne vous avait pas retiré la prostate ?

– Toujours problématique, intervient le Dr Nelseiev en regagnant son siège.

– Ils m'ont laissé le choix, soupire-t-elle, au moment de la vaginoplastie.

– L'aïdoïopoïèse, rectifie le médecin. Elle a préféré s'épargner les problèmes d'incontinence.

– Le seul principe de précaution que j'aie appliqué dans ma vie, ricane Ivana. Et, comme de juste, il s'est retourné contre moi.

Elle rejette son corps en arrière, défait son chignon roux qui s'éboule sur sa veste de treillis.

– Mais c'est un mal pour un bien. Comme tous les autres tarés qui gouvernent financièrement la planète, j'ai eu ma période transhumaniste. Quand vous avez une fortune qui dépasse vos ambitions, qu'est-ce qui vous manque ? L'immortalité. Je me suis shootée à l'intelligence artificielle pendant dix ans. Je me suis farci les veines avec des milliers de nanorobots censés remédier aux défaillances de mon corps et numériser ma conscience, pour que mes souvenirs et ma personnalité survivent à l'arrêt des fonctions vitales. Pipeau *and co*. Ce qui m'a sauvée de la dérive robotique, c'est mon cancer. Mon chien, du moins. Il l'a détecté, lui seul, et m'en a prévenue en hurlant à la mort avec des coups de patte sur mon ventre, dès que j'étais assise ou couchée.

Elle caresse la tête du caniche qui se réveille aussitôt pour lui lécher la main.

– Les nanopuces n'avaient rien capté. De ce jour-là, j'ai tiré un trait sur la connerie artificielle pour me consacrer à l'intelligence animale, la seule à laquelle on puisse se fier quand c'est l'amour qui la pilote. Allez, sauvez-vous.

– L'Oxford bus s'arrête à Kidlington dans dix minutes, précise le médecin en rattachant sa ceinture de sécurité. Il vous déposera à l'université à 11 h 35.

– Comme si vous aviez atterri à l'aéroport international d'Heathrow, ajoute Ivana. Au cas où vous souhaiteriez cacher pour l'instant à Wendy, dans l'intérêt de votre relation naissante, notre rencontre et votre candidature à l'OMRA.

Frank sonde son regard d'ironie bienveillante, essayant d'y évaluer la proportion de délicatesse et de sadisme.

– Merci pour l'intention, répond-il dans le doute.

– Allez, hop ! conclut-elle en désignant la porte de l'avion. On se revoit à Genève dans un mois et demi. Tâchez d'avancer sur le clonage et surtout de soigner votre argumentation, maintenant que vous connaissez l'avantage que possède Wendy.

Et elle referme les mains sur son caniche en prévision du décollage. Frank récupère son sac à dos dans un des compartiments bagages, et quitte l'avion sans se retourner. Il ne sait plus que penser. Jusqu'à l'atterrissage à Kidlington, il avait le sentiment que la milliardaire souhaitait couronner le mammouth. Maintenant, vu mon implication dans son état de santé, il craint qu'elle n'encourage ma victoire. Mais rien n'est joué. Son objectif est peut-être de nous torpiller l'un l'autre en utilisant le conflit amoureux de nos deux représentants. Et ça, c'est un problème. Wendy a éveillé en moi un gigantesque espoir : il faut absolument que je gagne, pour que ma protéine soit à même de sauver le plus d'humains possible. C'est ça, je le sais maintenant, le but de ma présence sur Terre. Mais j'ai bien peur que la bienfaitrice du règne animal ne s'intéresse qu'à sa propre survie.

Le Cessna redécolle. Cap sur Londres, où Ivana va rencontrer au British Museum le dernier candidat dont elle s'est entichée : un spécialiste des cétacés qui vient de faire une découverte fracassante sur les sons qu'ils émettent. Et le pouvoir thérapeutique du chant des baleines, ça m'inquiète autrement que la fonction tractopelle du mammouth.

LE DANGER
DES RETROUVAILLES

Dans la grise bâtisse gothique, au son des répétitions d'orgue s'échappant de la chapelle attenante, mon cloneur désaffecté patiente devant l'amphithéâtre où la parasite de son cœur enseigne les excentricités du tardigrade. Je comptais bien réinvestir ses pensées dès lors qu'il se retrouverait seul, mais tout le trajet en bus lui a fait ressasser la voix de Wendy derrière la cloison des toilettes, et c'est encore pire maintenant qu'il s'imprègne de son décor oxfordien.

Lorsque les portes s'ouvrent et qu'un flot d'étudiants envahit la galerie, il reste immobile à fixer la masse des cèdres centenaires qui s'agitent derrière les hauts vitraux.

– Je le crois pas ! s'exclame Wendy en s'arrêtant à sa hauteur.

Il se lève aussitôt, avec une mine rassurée.

— Ah, bonjour ! J'avais peur de m'être trompé d'étage. L'accent d'ici est un peu trop british pour mes oreilles de Belge…

— Mais qu'est-ce que tu fais là ? bredouille-t-elle en cachant son élan de joie derrière une stupeur à peine courtoise.

— J'arrive de Sibérie, je reprends l'avion pour Boston à 20 heures. En fait, je sors d'une réunion avec mes collègues de l'Institut de génétique. Je me suis dit que c'était l'occasion de te revoir, si tu étais sur le campus…

Il a tellement travaillé la spontanéité de son mensonge qu'il est le seul à y croire.

— Mais enfin, Frank, tu as mon téléphone ! Pourquoi tu ne m'as pas prévenue ?

— Je n'étais pas sûr que tu aies envie. J'ai préféré tenter ma chance. Au pire, j'aurais déposé ça dans ton casier.

Il sort de son sac à dos une grande enveloppe. Elle la retourne dans ses mains sans l'ouvrir, gênée.

— Tu veux… que je lise plus tard ?

— Non, non, sourit-il, ça va, y a rien de personnel. C'est juste mon témoignage.

— Ton témoignage ?

– Oui, j'atteste sur l'honneur que Franquette a été découverte à deux cents mètres de profondeur, ce qui établit son âge. Comment pourrais-tu le prouver, sinon, puisqu'elle est semblable à ses descendants ? J'y ai songé tout à coup.

Elle le dévisage, sur la défensive.

– Je suis très touchée, merci, mais... il y a une contrepartie ?

Il soutient son regard.

– Je n'arrête pas de penser à toi, Wendy, c'est vrai. Je ne sais pas si c'est le fait qu'on ait bravé la mort ensemble... Depuis que j'ai perdu ma femme, c'est la première fois que j'envisage de...

Elle lui pose les mains à plat sur la poitrine, comme pour lui faire rentrer les mots dans le cœur.

– Frank... je vais être aussi directe que toi, d'accord ?

– Merci pour l'avocat ! lui lance une jeune fille en passant dans la galerie.

– C'est normal, Yasmine, répond-elle avec un sourire. On a retrouvé le chauffard ?

– Toujours pas, hélas. Bonne journée.

– Je suis dans le même état par rapport à toi, murmure-t-elle quand son étudiante a disparu au coin de l'escalier. Attirance, déni, remords. Et je n'ai pas les moyens d'assumer les trois. Alors je te mets le marché en main, Frank : ou on se trouve une salle déserte et on baise sur le pouce, comme dans un film, auquel cas on perce l'abcès et on n'en parle plus, problème réglé, on se dit adieu…

Sa voix s'étrangle, elle baisse les yeux.

– Ou alors ? lui souffle-t-il après trois secondes de silence.

– Je t'emmène déjeuner à la maison, je te fais voir mon cadre de vie pour que tu me comprennes et, le jour où Tyrone nous aura quittés, si tu en as toujours le désir, je te recontacte et on envisage des choses.

Il déglutit, ballotté entre les deux tentations. La politesse et le fait de n'avoir rien mangé depuis dix heures l'orientent vers le second choix, bien que le premier ait pu constituer un remède plus efficace à l'inconfort amoureux qui le ronge. D'autre part, à Pleistocene Park, il a lu tout ce qu'il a trouvé sur Tyrone Lane. Il n'est fait aucune allusion à un quelconque Alzheimer, mais les deux infarctus en public de cet octogénaire bouillonnant, l'un dans une dégustation de whisky et l'autre devant la reine d'Angleterre qui le décorait, laissent entrevoir une issue assez rapide à leur mariage. C'est un pari sur le court terme, et l'excitation réfrénée qu'il perçoit dans les yeux de Wendy est infiniment plus motivante pour lui qu'un trait tiré entre deux portes.

– Tu habites loin ?

Elle mord son sourire. Elle était partagée, elle aussi. De tout son cœur, elle aurait préféré consommer sur place, comme on s'enlève une écharde, mais le désir immédiat d'en finir avec ce squatteur de ses nuits s'estompe sous les espoirs de lendemains qu'elle lit dans son regard.

– J'ai ma voiture, on est à dix minutes.

– Je vais enfin savoir à quoi ressemble une Armstrong-Siddeley.

– Non, je ne la sors que le dimanche. Et là, elle attend une nouvelle rotule de direction.

– Elle n'est pas la seule, soupire-t-il.

Wendy lui effleure la main, sensible à l'ironie de sa pudeur, et l'entraîne par le coude.

– Allez viens, j'ai un gigot à mettre au four. Et tu m'épargnes les commentaires.

Sous les branches d'un énorme chêne dont les racines ravagent le parking des professeurs, elle lui ouvre la porte du chenil roulant qui lui sert de voiture au quotidien.

– J'espère que tu n'es pas allergique aux poils. Tu connaissais Oxford ?

Non, et comme il garde les yeux rivés sur elle tandis qu'elle conduit, il n'en découvrira rien de plus.

– Comment ça va, le mammouth ?

– Stationnaire. J'espère que tu es aussi déconcentrée que moi.

– Pas du tout. Les femmes savent très bien mener plusieurs choses de front. Et puis, je ne suis pas non plus totalement obnubilée par toi.

– Tant pis.

– En fait, j'avais presque réussi à oublier combien tu m'as manqué dans l'avion du Groenland.

– Je suis désolé.

– Y a pas de quoi.

– Bref, tu regrettes que je sois venu.

– J'ai l'air ?

Elle tourne brusquement le volant pour éviter un poteau, répond d'un coup de klaxon aux appels de phares du conducteur d'en face qui s'inquiétait de l'embardée.

– Je rêve de t'embrasser, Wendy.

– Moi aussi, si ça peut te consoler.

Le restant du trajet s'effectue en silence. Je pensais que ces retrouvailles ne seraient que du temps perdu, de l'entracte inutile jusqu'au rebondissement final qui me rendrait mon Frank à part entière : le moment tant attendu où il lui révélerait que sa chenille des glaces et moi-même allions nous affronter pour cent millions de francs suisses, moyennant quoi, déontologiquement, ce serait désormais chacun pour soi. Mais il a choisi de différer l'aveu pour ne pas gâcher le non-dit qui s'épanouit dans l'habitacle, et c'est moi qui m'efface de leurs pensées à mesure qu'ils approchent du sanctuaire qu'a investi ce maudit insecte.

BIENVENUE CHEZ NOUS

Quelle émotion d'accueillir mon découvreur dans la maison de Wendy... Quand la petite voiture jaune s'arrête devant le cottage, tout le comité d'accueil est là : le cheval, le chat et le perroquet perché sur la chienne. À la manière dont Red Bill fourrage dans les longs poils de la bobtail, il est à craindre qu'il soit venu présenter un nouveau nid à l'élue de son cœur. Chez les autres, c'est l'anxiété qui domine. Voir débarquer sur le territoire du vieux mâle en souffrance le jeune rival qui a envahi les pensées de Wendy menace leurs repères.

– Mon beau-fils Dick, présente-t-elle en désignant le dégarni en veston de chasse qui fait des mots croisés dans une chaise longue. Frank Debert, le glacionaute qui a découvert Franquette.

– Félicitations, marmonne l'autre en se levant à

contrecœur, journal au bout du bras. Vous êtes venu prendre de ses nouvelles ?

Frank se sent immédiatement mal à l'aise, face à ce sexagénaire lugubre qui ressemble à son père en modèle réduit – hormis la chevelure et l'expressivité. La jubilation carnassière émanant des photos de Tyrone s'est muée chez son rejeton en amertume goguenarde. Frank se justifie machinalement :

– J'étais invité à l'Institut de génétique, je suis tombé sur Wendy.

– Le hasard fait bien les choses, grince le beau-fils, pas dupe, en toisant les deux quadras qui maintiennent entre eux une distance excessive.

– Ça a donné quoi, la visite ? lui demande-t-elle pour détourner son attention.

– Des ploucs à prêt relais ; j'ai tout fait pour les dissuader. Je vous offre un verre ? On vous aurait bien gardé à déjeuner, mais le médecin déconseille les nouvelles têtes.

Le perroquet détend la situation en venant lui chiper le cigare qui dépasse de sa poche, histoire d'agrémenter la déco de son nid.

– Rends-le-moi, saloperie ! glapit Dick en courant vers la chienne où s'est réinstallé le voleur. C'est un Cohiba !

– Charmant, non ? ponctue Wendy. Célibataire assisté, fâché avec la Terre entière, dettes de jeu, condamnations fiscales, renvoyé de l'université pour attouchements sur une étudiante – je suis sûre que c'est faux, il a trop d'ego pour avoir échangé des faveurs contre une bonne note. Nous l'hébergeons depuis que son appartement a été saisi. Il déteste son père, mais il lui fait du bien : Tyrone a toujours eu besoin d'un punching-ball. Viens.

Elle l'entraîne dans la maison. Le cœur en bataille, Frank observe l'intérieur patiné, les tentures, les lambris, les parquets d'acajou sombres égayés çà et là par des tableaux abstraits et des sculptures en tôle – apports discrets de la jeune épouse à la maison de famille. Je le sens à la fois terriblement heureux d'être auprès d'elle et consterné de se trouver chez eux.

Avec des gestes expéditifs, elle enfourne le gigot dans la cuisine victorienne où le chat miaule devant sa pâtée qu'il estime oxydée. Elle lui réplique qu'il n'a qu'à attraper la souris qui grignote les rideaux du salon. Le siamois, poil hérissé, se tourne vers l'inconnu qu'elle précède dans l'escalier qui mène à mon sous-sol. Frank n'en revient pas d'une telle installation à domicile. Réacteurs automatisés, spectrophotomètres, dessicateurs, densimètres de paillasse, séquenceurs de gènes ; tout est flambant neuf, aussi perfectionné que dans son labo d'Harvard.

– Tyrone n'a jamais aimé l'ambiance universitaire, explique-t-elle, il a toujours travaillé comme un ours dans sa tanière. J'ai actualisé les équipements, c'est tout.

– C'est super.

– Oui, ce sera un crève-cœur. Je ne pourrai jamais reloger tout ça.

– Vous… vendez la maison ?

– Je ne m'en sors plus avec mon salaire. Entre l'auxiliaire de vie, les mensualités du matos et la retraite de Tyrone qui part dans les dettes de son fils… Mon seul espoir, c'est la bourse de l'OMRA.

La gorge serrée, Frank parcourt du regard les dizaines de capsules d'azote nominatives alignées sur des étagères. Elle lui montre le logiciel où elle entre les dates de naissance et les heures d'activité de chacun de ses tardigrades. Il n'a d'yeux que pour les deux dernières capsules, étiquetées Tardix et Franquette.

– Je te les dégèle le temps du repas, dit-elle en nous sortant de l'azote pour nous déposer dans notre bac nuptial en verre grossissant. Attends-toi à une surprise. Allez, à table. Tyrone a des horaires très stricts.

Frank ne dit rien, ne pose aucune question. Dans l'escalier, elle le briefe sur un ton de légèreté minutieuse qui aggrave encore son sentiment de décalage.

– Il est midi un quart, ne t'inquiète pas s'il m'appelle Gretchen.

– D'accord.

– Il est réglé comme une horloge. Au réveil il me prend pour Alison, sa mère – j'adore : elle était danseuse au Moulin Rouge de Paris, sous l'Occupation. Maîtresse d'un général de la Wehrmacht qu'elle espionnait pour le compte des Anglais. C'était l'une des meilleures « oreilles » de Churchill, sa préférée en tout cas. Quand elle s'est fait gauler par les nazis, ils l'ont déportée avec son fils. Du coup, vers dix heures, je deviens Gretchen, la jeune gardienne de Bergen-Belsen qui, après la mort d'Alison, l'a escamoté du camp de concentration pour le planquer dans la ferme de ses parents. Il avait six ans, c'était son héroïne. En avril 1945, quand les soldats britanniques ont libéré le camp, elle est allée leur rendre le petit rescapé en échange de son immunité. Mais lui, dès sa majorité, il est retourné là-bas pour la retrouver. Quatre ans de passion – j'ai dû me mettre à l'allemand. Et puis au cours du déjeuner, tu verras, je redeviens moi-même.

Au sommet de l'escalier, elle se retourne pour lui poser une main sur l'épaule.

– Désolée de te faire assister à tout ça, mais je veux que tu comprennes ce qui m'empêche de te sauter dans les bras. Je l'adore, Frank. Dans tous ses états, même les pires. Un amour fondé sur l'admiration et la reconnaissance, ça excuse tout. On me prend pour son bâton de vieillesse, mais c'est lui mon tuteur.

Elle quête une réaction dans son regard. Il s'entend dire sur un ton plat :

– Je vois.

– Avant lui, je n'étais rien : une orpheline qui n'intéressait personne, une boule de rage en vase clos. J'avais une intelligence froide, il l'a réchauffée. Je ne croyais en rien, il m'a transmis ses enjeux, ses passions. Je me trouvais moche, il m'a rendue belle, forte et fière. Tu comprends ? Je l'aimerai jusqu'à sa mort.

Il prend acte avec une moue polie. Elle dépose

un bisou sur son nez, et ils remontent. Dans le couloir de la salle à manger, ils croisent l'auxiliaire de vie, un ancien boxeur noir d'une douceur extrême.

– Il se languit de vous, glisse-t-il à Wendy, une seringue vide à la main. Et il ajoute sur le même ton de compassion discrète : J'ai ajouté un couvert.

– Merci, Christopher, à tout à l'heure.

Lorsqu'ils entrent dans la grande pièce donnant sur le jardin, Tyrone Lane est assis au bout de la table, vêtu d'un costume trois-pièces en tweed, sa chevelure immaculée moussant dans un rayon de soleil. L'œil sur la montre de gousset qu'il tient dans sa paume droite, il presse l'aiguille des minutes comme s'il s'agissait d'une télécommande.

– *Zwanzig nach zwölf!* râle-t-il en direction de sa femme.

– *Entschuldigung.*

Elle lui présente son invité, qu'il salue de la tête en lui désignant une chaise. Son fils entre et s'assied sans un mot, le bout de cigare déchiqueté dépassant de sa poche à lunettes.

Wendy sert les entrées. À la troisième bouchée de poireaux à la menthe, le vieux biologiste revient en Angleterre et tourne vers l'inconnu un regard suspicieux.

– Vous suivez mes cours, vous aussi ?

Frank interroge du regard la maîtresse de maison, qui abaisse les paupières. Il répond par l'affirmative.

– Je vous préviens, mon garçon, personne ne touche à Wendy Parker. C'est la plus douée, la seule capable de continuer mes recherches, un jour. Pas question de la mettre enceinte pour en faire un produit ménager. Suis-je clair ?

– Mets ta serviette, papa, intervient Dick, tu t'es taché.

– Ce n'est pas toi qui laves, répond-il sans le regarder. Et ne parle pas en mangeant. Miss Parker, enchaîne-t-il en attrapant soudain la main de Wendy, je suis divorcé depuis un an tout rond, il y a prescription. Maintenant que vous avez passé votre thèse, accepteriez-vous de m'épouser ?

– C'est déjà fait, Tyrone, répond-elle d'une voix douce.

Désappointé, il détaille l'alliance qu'elle lui montre.

– Ah bon, dit-il en redescendant avec dépit dans son assiette. Tant pis. Je me faisais une joie.

Après dix secondes de mastication qui contribuent à l'ancrer dans le présent, il relève la tête vers l'invité.

– Alors, quoi de neuf en Tanzanie ?

– C'est Frank Debert, répond Wendy. Le glacionaute qui a découvert Franquette.

Un large sourire illumine brusquement la face du vieux génie en déroute. Ses yeux pétillent quand il demande :

– Elle a cent trente mille ans, vraiment ? Vous confirmez ?

– Oui, monsieur.

– Appelez-moi... – comment déjà ?

– Tyrone, lui souffle son fils d'un ton rogue.

– J'adore lui donner de faux espoirs, se marre-t-il en prenant le convive à témoin. Il a tellement hâte que je sois gâteux pour parader à ma place au grand jour... Sauf qu'il n'existe que dans mon ombre. Et c'est le premier *Ramazzottius* que vous remontez ?

– Oui, Tyrone.

Les paupières du savant se plissent, ses mains dessinent un espace infini.

– Mon premier, à moi, c'était en haut de l'Himalaya, en 1979. Une expédition consacrée aux animaux résistant aux conditions extrêmes. En voyant sa tête au microscope, je l'ai appelé Churchill.

Portrait craché. On ne s'est plus quittés. Il nous a donné quarante générations, qui m'ont tout appris sur l'espèce. Aujourd'hui, on ne me le décongèle plus que pour mon anniversaire, mais je ne suis pas inquiet : il nous enterrera tous.

– Alléluia, grommelle le fils dans ses poireaux.

– N'empêche, Franquette est la plus belle récompense de ma vie. Cent trente mille ans, nom de Dieu ! Ses propriétés sont encore plus stupéfiantes… Ce que je vais publier va trouer le cul à tous ces connards qui me refusent le prix Nobel.

– Tu l'as eu, soupire son fils.

– De toute façon, je n'en veux pas. Vous êtes qui, vous ?

– Le découvreur de Franquette, lui rappelle Wendy.

– Et vous êtes venu pour elle ou pour ma femme ?

– J'avais un rendez-vous à Oxford, répète Frank, les pieds croisés sous la table.

– Alors évitez de la draguer, si vous voulez être cité dans ma publication.

Il promène un regard de défi malicieux sur la tablée, s'essuie la bouche en précisant :

– Je plaisante. Mon premier *Ramazzottius*, moi, c'était en haut de l'Himalaya.

Pendant qu'il leur ressert son anecdote, Wendy s'éclipse. Il en profite pour emplir son verre de vin et le vider d'un trait.

– Je ne vous en propose pas, il est bouchonné. Mais je ne suis pas censé le savoir. Vous êtes étudiant, vous aussi ?

Wendy revient avec la planche du gigot qu'elle dépose devant lui. Tout en le découpant avec une dextérité pointilleuse, il lui refait sa demande en mariage qu'elle accepte avec joie, cette fois, pour varier les réactions du prétendant. Après avoir levé son verre vide à leur bonheur, il empoigne soudain son opulente chevelure et, le regard rivé à celui de Frank, la soulève comme un couvercle qu'il repose aussitôt.

– Eh oui, c'est une perruque. Totalement fidèle à ma belle crinière de lion que j'ai perdue d'un coup en perdant mon enfant.

Frank glisse un œil discret vers Dick Lane, qui se désolidarise par un mouvement de couteau vers Wendy en précisant :

– Fausse couche à trois mois. De là à se déclencher une alopécie traumatique... Il faut toujours qu'il tire la couverture à lui par des réactions disproportionnées. Ma calvitie, moi, je n'en fais pas tout un plat.

Sans écouter, Tyrone a refermé ses doigts sur le poignet de Frank.

— Wendy est ma source de jouvence, énonce-t-il gravement en la fixant avec un amour infini. Quand on s'est rencontrés, j'avais trois fois son âge ; aujourd'hui, je n'en ai plus que le double.

L'invité compatit. Wendy lui ressert une tranche de gigot.

— Ce qui m'amuse, fiston, c'est que vous avez déniché votre premier *Ramazzottius* au plus profond de la glace, et moi au point culminant de l'Himalaya !

Après une demi-heure de conversation en boucle, le vieux lion fourbu s'endort sur sa chaise, le dos droit et la tête en arrière.

— Votre tardigrade aura sa peau, prédit son fils en tournant vers Frank un sourire de gratitude. Le cardiologue lui a interdit le labo, et maintenant, grâce à vous, il y passe ses nuits.

Il se lève d'une détente et sort fumer son épave de cigare. Wendy réveille Tyrone en douceur, l'aide à s'allonger pour sa sieste sur la méridienne de la véranda. Se retenant de proposer son aide, Frank les contemple avec une résignation triste. Voir cette belle femme indomptable réduite au rang de garde-malade le chavire.

– Il était plus en forme hier, plaide Wendy.

– Qu'est-ce que ça devait être ! réagit-il par courtoisie.

Il feint d'être épaté par le tempérament du vieillard, mais le naufrage en fanfare d'une telle intelligence lui mine le moral. Si un pareil déclin l'affecte un jour, il sait qu'il se tuera dès les premiers symptômes.

– C'est lui qui présentera nos travaux à l'OMRA, annonce Wendy en revenant de la véranda.

– Comment ça ?

– Je l'y prépare depuis des semaines. Tu ne peux pas savoir à quel point ça le stimule. Ce sera sa dernière apparition en public, le couronnement de sa carrière. Ne me regarde pas comme ça. Il fait très bien illusion, tu as vu, à cette heure-ci. C'est le créneau que j'ai obtenu pour son temps de parole.

Frank la fixe, désarçonné, cherche des mots qui ne blessent pas trop :

– Tu es… tu es sûre que c'est un service à lui rendre ?

– C'est lui qui le veut. Pour m'épauler. Je ne peux pas refuser.

Le ton est sans appel. Il l'aide à débarrasser la table, puis ils redescendent me voir. Il a failli lui dire vingt fois que lui aussi allait concourir à l'OMRA, mais il a retenu ses mots, de peur de polluer le climat de confiance qui s'est instauré entre eux. Elle allume les spots du labo. Le nez contre la paroi de mon bac en verre grossissant, il observe la mangeoire à salade contre laquelle je me gratte le dos.

– Qu'est-ce qu'elle fait ?

– Elle se ponce.

– Elle a un problème ?

– Une idée derrière la tête, plutôt. Regarde.

Sous leurs yeux, mes œufs morts commencent à se détacher. À mesure qu'ils tombent, Tardix les repousse avec ses pattes pour les cacher sous la mangeoire. Faire place nette.

– C'est le début de la parade amoureuse, commente-t-elle. À raison d'une demi-heure par jour, le temps d'activité que je leur accorde, il mettra une semaine à lui déclencher l'ovulation. C'est le délai que j'ai constaté avant chaque ponte. Mais ce sera peut-être plus long cette fois, vu les milliers d'années qui les séparent.

– En admettant qu'elle soit encore en âge d'ovuler...

– J'ai bon espoir, au regard des analyses.

Moi aussi. D'autant plus que, contrairement à ce que pense Wendy, je n'ai pas vraiment besoin d'être séduite pour pondre. Un choc nerveux peut faire l'affaire. Ce qui a produit dans mon dos ces petites boules, autrefois, c'est mon bref passage entre les mandibules de la libellule qui m'avait recrachée.

Frank hésite, lui demande si elle a extrait de mes cellules sa fameuse protéine DSUP. Pour toute réponse, elle lui désigne un tabouret devant le microscope électronique associé à un logiciel G-Tox. Il connaît. C'est un simulateur d'agressions virales, bactériennes et radioactives, auquel il a soumis du matériel génétique prélevé sur ses carcasses de mammouth – aboutissant chaque fois à sa destruction. Là, éberlué, il constate dans l'oculaire, dès la détection d'une attaque, la formation d'une sorte de nuage protecteur autour de la chromatine, destiné à préserver l'ADN et à programmer sa réparation. C'est l'explication que Wendy lui en donne. Il ravale son enthousiasme. D'un ton neutre, il se contente de demander si cette réaction immédiate du noyau cellulaire est observable chez tous les tardigrades.

– En vitesse comme en intensité, elle est cent fois inférieure à celle que développe Franquette. C'est logique : depuis sa naissance, les cataclysmes ont perdu de leur vigueur et, au fil des millénaires, le système de riposte du *Ramazzottius* s'est mis en mode économie...

Il se relève pour lui faire face.

– Et cette DSUP... tu l'as testée sur l'homme ?

Elle lui répond sans ciller :

– Sur un cancer en phase 3, oui, deux fois. Résultat prometteur.

– Et sur Tyrone ?

– Depuis quatre jours. La semaine dernière, pour lui, j'étais bloquée à vingt-deux ans, l'année de sa demande en mariage. Jamais il n'était remonté jusqu'à ma fausse couche et sa perte de cheveux. Jamais il n'aurait intégré un événement du présent, comme ta venue. Si la dégénérescence s'inverse, tu te rends compte ? Ça veut dire qu'on peut guérir l'Alzheimer !

Elle se mord un ongle, angoissée. Il lui demande où est le problème.

– L'injection doit être quotidienne, sinon les neurones se redéconnectent – je l'ai vu le mois dernier avec la DSUP de Tardix. J'ai peur que la régression soit encore plus nette avec celle de Franquette, vu sa puissance.

– Et pourquoi tu arrêterais le traitement ?

– Au dosage optimal, il me reste à peine trente jours de piqûres, soupire-t-elle en me saisissant avec sa pince à épiler pour me rapatrier dans l'azote. Et je ne peux pas lui en prélever davantage, ça la mettrait en danger. La protéine se renouvelle trop lentement.

– D'où ton espoir de récupérer dans sa progéniture un max de DSUP d'origine.

Elle acquiesce en refermant ma capsule, enchaîne :

– La gestation dure deux semaines, ça sera ric-rac… Cela dit, ce n'est pas contre toi, mais ce serait bien que tu t'en ailles, maintenant. Tu as vu les regards en coin de mon beau-fils… On ne fera plus illusion très longtemps.

Il opine. Elle ajoute :

– Et en ce qui concerne la DSUP… tu gardes tout ça pour toi, bien sûr.

Il la prend par la taille et plaque doucement ses lèvres sur les siennes, comme on scelle un pacte.

– À très vite, Wendy.

Il se détache aussitôt, précise :

– Je veux dire… le plus tard possible. Par rapport à Tyrone.

– J'avais compris.

Ils se sourient en silence. Puis elle murmure :

– Ne me regarde pas comme une victime, une sacrifiée… C'est mon devoir, oui, mais c'est mon choix et c'est une forme de bonheur, aussi.

Il acquiesce, répond :

– Je t'attendrai.

– Merci.

Et il repart. Tandis que l'eau s'évacue de mon corps et que la couche de cire se forme pour protéger mes organes du gel, j'éprouve une émotion inconnue. Un sentiment d'arrachement mêlé de confiance. C'est quand même passionnant, le contact humain. Je n'ai vraiment pas envie que cette espèce se détruise. Quelle frustration ce serait de lui survivre… En même temps, quand je vois ce qu'elle a fait de notre planète, je me dis qu'elle est devenue une si grande menace que rien ne peut plus la sauver.

À moins que ce ne soit mon rôle. À moins que le processus de guérison que mes protéines vont lui offrir n'atténue ses pulsions destructrices. Et si ma DSUP avait le pouvoir de réconcilier l'humanité ?

J'ai vraiment hâte d'être mère pour en fournir les quantités nécessaires.

Wendy rattrape Frank au sommet de l'escalier.

– Tu es venu en bus depuis l'aéroport d'Heathrow ?

– Oui.

– Je dépose mon ami au terminus d'Oxford, lance-t-elle à l'auxiliaire de vie qui est rentré de son déjeuner au pub voisin.

Tandis qu'elle enfile un imper, Frank découvre son écharpe au pied du portemanteau, déchiquetée par le chat. Il l'escamote discrètement dans sa poche pour ne pas provoquer de sanction, puis sort dans le jardin pendant que Wendy va rajuster le plaid de son mari. Devant le perron, il tombe sur le cheval qui le toise d'un regard de côté, oreilles en arrière, sabot creusant le gravier. Justifiant cette hostilité flagrante par la rareté des visiteurs, Frank se détourne prudemment vers le côté de la maison où le beau-fils enfume la roseraie. Alors, la chienne déboule soudain dans son dos et, comme ses ancêtres le faisaient avec les moutons, elle le pousse à coups de crâne dans les jambes, le dirigeant vers l'auto de Wendy. Indifférent aux chocs qui le déstabilisent, le perroquet continue de lui peigner les poils pour agrandir son nid. Mais, lorsque

Frank, acculé contre la petite voiture jaune, essaie de repousser Twiggy avec une tape amicale sur le flanc, Red Bill défend son territoire d'un violent coup de bec.

Je comprends mes compagnons. Leur animosité instinctive est déclenchée par ce qu'ils perçoivent chez cet inconnu : aussi bien l'adversaire caché que l'amoureux transi. J'essaie de les rassurer, mais ils ne m'écoutent pas.

— On prend l'autre, lui lance Wendy qui se dirige vers la carrosserie bâchée sous le hangar à foin.

Frank la rejoint. Elle déhousse l'Armstrong-Siddeley noire dans un lent mouvement gracieux, lui faisant admirer la longue berline fluide et galbée des années d'après-guerre, le radiateur à grilles agrémenté d'un sphinx, la finesse des montants de portière et le confort de l'assise.

— On oublie le jeu dans la direction ? glisse-t-il avec une caresse sur le tableau de bord en noyer.

Elle lui rend son sourire.

— Au point où on en est… Comme ça, tu auras connu tout ce que j'aime.

Tandis que le moteur chauffe, elle lui montre la boîte à gants transformée par Winston Churchill en cave à cigares, le minibar d'époque aménagé dans la console de cuir rouge entre les sièges, les verres en cristal dissimulés dans les contre-portes...

– J'ai mis dix ans à la restaurer, pour rendre à Tyrone le cadeau de son parrain, reprend-elle avec nostalgie. Il aurait tant voulu la transmettre à notre enfant...

La marche arrière grince, le lourd vaisseau d'aluminium et de chromes s'ébranle dans un feulement feutré.

– Vous n'avez pas... réitéré ? vérifie-t-il sur la pointe des mots.

– Non. Complications, fibrome, hystérectomie. C'est la vie. Aujourd'hui, tout s'est regroupé, tu vois : j'ai le mari et l'enfant – deux en un.

Frank avale sa salive. Difficile d'enchaîner sur un aveu d'omission, de purger sa conscience après toutes ces marques de confiance. Les pneus crissent sur le gravier, entre les aboiements de Twiggy et les injures proférées par Red Bill.

– Allez, grimpe ! cède Wendy en se contorsionnant pour ouvrir la porte arrière.

La chienne bondit sur la banquette, désarçonnant son locataire à plumes, et plonge ses grosses pattes entre les sièges avant pour entraver l'intimité des deux humains. La voiture descend l'allée, survolée quelques instants par le soupirant criard qui constelle le pare-brise de ses déjections, furieux que sa femelle espérée parte sans lui avec le nouveau nid qu'il n'a même pas eu l'occasion de lui présenter.

Dans les à-coups de la direction flottante, les mots que Frank s'empêche de prononcer lui pèsent sur le cœur. Wendy, entre deux passages de vitesses, caresse les pattes de Twiggy qui s'endort, apaisée. La bobtail envie Frank pour les sentiments qu'il inspire à sa maîtresse, mais pas seulement. Toute la neige et la glace qui emplissent les pensées de cet homme ont ranimé sa vocation contrariée de chienne d'avalanche, et elle se retrouve en rêve dans une crevasse gelée d'où elle extirpe une petite fille.

La voiture tangue sur les ralentisseurs. Déjà, les tours de l'université médiévale se profilent entre les frondaisons. Frank ne peut plus s'empêcher de briser l'harmonie illusoire qui flotte dans l'habitacle.

— Il faut que je t'avoue quelque chose, Wendy.

Elle le stoppe d'une main sur le coude.

— Quand on se reverra, si ça ne t'ennuie pas.

Il prend sur lui pour répliquer :

— Ben justement, ce sera trop tard… Je voulais te faire la surprise, mais fatalement tu l'aurais appris par un tiers... En fait, on se retrouve dans un mois et demi.

— Comment ça ?

— Moi aussi, je concours à l'OMRA. Pour le mammouth.

Elle se tourne vers lui, sidérée, s'arrête sur un pont en dos-d'âne à l'entrée d'Oxford. Son expression est devenue d'une froideur polaire. Réveillée en sursaut, Twiggy se met à grogner.

— C'est pour ça que tu es venu, alors ? Pour savoir où j'en suis avec la DSUP.

— Mais pas du tout !

— Et je suppose que tu as profité de l'avion d'Ivana. Quelle conne je suis !

— Mais non...

— Ah bon ? Je me fais des idées ? Ton envie de me voir, ce n'est pas du tout de l'espionnage industriel ?

— Pourquoi tu dis ça ?

— Parce que cent millions de francs suisses.

— Arrête, enfin ! Ça n'a rien à voir !

— Écoute, on va faire comme si on avait pris l'option A : on a forniqué express au fond d'une salle de cours, et maintenant on se dit adieu et bonne chance. OK ?

– Mais pourquoi tu… ?

– Parce qu'un adversaire, c'est un adversaire. Si tu as cru me déstabiliser en venant ici, me fragiliser, dis-toi que jamais ton mammouth ne fera le poids en face de ma tardigrade !

– Je sais ! s'énerve-t-il. Et grâce à qui ? L'attestation que je t'ai donnée, ce sera la pièce maîtresse de ton dossier…

– Pour que je me sente redevable et que le jury apprécie ton fair-play qui se retournera contre moi, j'ai compris. Tu sais quoi ? C'est minable !

La chienne confirme d'un aboiement bref.

– Je te préviens, Frank Debert : entre nous, ça sera une lutte à mort. Le dernier combat de Tyrone, et je ne veux pas le rater.

Elle se penche brusquement pour lui ouvrir sa portière.

– Casse-toi.

Il lui rend son regard et hoche la tête. Il n'est pas vraiment surpris. Presque soulagé, même, d'avoir joué cartes sur table. C'est moi qui suis désolée, après leur avoir servi de trait d'union, d'être devenue la cause de leur rupture.

Il descend de voiture et marche vers l'arrêt de bus sans se retourner. Elle démarre sur les chapeaux de roues. Ils se sentent aussi trahis l'un que l'autre. Quant à moi... Même l'antigel et la cire protectrice peinent à me protéger de la contagion de leurs émotions.

DÉSÉTEINS-MOI

Il était temps qu'il revienne à moi. Qui d'autre pouvait le consoler de l'ingratitude humaine ? En plus, une excellente surprise l'attendait à Harvard : les résultats d'analyses du spécimen retrouvé dans la glace du lac Orchoï. Et c'est Ruth Kendall elle-même, conservatrice du département de mamma-logie au Musée d'histoire naturelle de New York, qui est venue lui présenter le rapport de l'autopsie qu'elle a supervisée, assorti d'une mallette d'échan-tillons sous vide. Jusque-là, elle avait privilégié l'équipe de génétique indienne liée au labora-toire pharmaceutique qui est l'un de ses plus gros mécènes, mais la nomination officielle de Frank parmi les finalistes de l'OMRA a modifié la donne. La direction du musée se devait d'apporter sa contribution au seul projet américain en lice, afin d'en retirer les profits escomptés – à tout le moins, une dotation de la Fondation Ivana-Kadrova.

– C'est à peine croyable, Frank. Jamais je n'ai vu un tel état de préservation.

L'ouverture de la mallette réfrigérée le laisse sans voix. Quarante mille ans après la mort, le sang s'est conservé sous forme liquide, d'un rouge intense. Même le tissu musculaire présente une couleur de viande fraîche.

Il n'en faut pas davantage pour que la blessure affective cautérise et que Wendy Lane soit rétrogradée dans ses pensées au rang de simple adversaire. D'autant que ce n'est pas à elle qu'il se mesurera au grand oral de Genève, d'après ce que j'ai compris, mais à son Prix Nobel de mari. Si mon candidat veut que ma désextinction l'emporte sur leur protéine thérapeutique, il lui reste à peine un mois pour séquencer le génome d'Orchoï, récupérer une cellule vivante et comparer l'état de son ADN à celui qu'il a numérisé à partir d'échantillons beaucoup plus dégradés.

Peut-être est-ce un noyau de ce mâle, en fin de compte, qu'il introduira dans l'ovule d'une éléphante. L'utérus artificiel qu'il a fait construire à Pleistocene Park est prêt à l'usage, mais la gestation de nos espèces dure vingt mois. La seule garantie qu'il pourra présenter entre-temps, à la tribune de l'OMRA, c'est la technique qu'il a mise au point pour désactiver les gènes verrous – ces obstacles naturels que nos organismes ont dressés contre le retour en arrière que constitue le clonage, moyen de reproduction tombé en désuétude depuis nos ancêtres les bactéries. Le fait que vos avancées technologiques aient les moyens aujourd'hui de faire régresser l'évolution des espèces constituera, sans doute, une des causes de votre disparition future. Mais, dans l'immédiat, c'est ma seule chance de renaître.

Je suis confiant. Si Frank Debert occupe ce poste prestigieux dans l'une des meilleures universités du monde, si Harvard l'a chipé à Louvain-la-Neuve, c'est qu'il est le premier à avoir cloné une espèce éteinte, en 2003. À partir de peaux congelées découvertes dans un glacier, il a réussi à remettre au monde une femelle *bucardo*, ce bouquetin des Pyrénées disparu en 2000. Mais elle n'a vécu que six minutes trente-cinq. Il lui a fallu près de dix ans pour digérer les conclusions de l'autopsie, et presque autant pour trouver une parade aux défenses naturelles contre la réplication génétique. Sa technique d'hybridation a déjà permis de préserver le panda, menacé d'extinction, en le recréant à titre préventif grâce aux cellules d'accueil fournies par l'ours du Tibet.

Et puis, en toute modestie, l'actualité joue en ma faveur. Ce matin encore, toutes les télévisions du monde commentent l'explosion d'une poche de méthane souterrain qui vient de ravager mille hectares en Sibérie orientale, causant un cratère d'une surface effarante, l'effondrement d'une centrale, des incendies incontrôlables et des émanations toxiques aux conséquences difficiles à mesurer. La fin du monde viendra non du ciel, mais du sol qui dégèle, les Terriens commencent à l'entrevoir. Et la réponse ne se trouve que dans le passé, au temps où les miens assuraient le maintien du permafrost. Un savant matraquage assuré conjointement par les attachés de presse du Pleistocene Park, l'université d'Harvard et le Musée d'histoire naturelle de New York accompagne l'annonce de ma candidature au Grand Prix de l'Organisation mondiale des ressources animales. On voit clairement où se situe l'urgence et qui incarne l'espoir aujourd'hui, entre une chenille aux protéines dopantes et le seul pachyderme en mesure de regeler le sol pour éviter que la Terre n'implose.

J'espère simplement que mon chef de projet, face à l'ampleur de l'enjeu, résistera aux pressions qui l'entourent comme au gâchis amoureux qui le ronge.

*

Il n'a presque pas fermé l'œil durant trois semaines, entre la restauration des gènes du vieux mâle d'Orchoï et sa recombinaison avec l'ADN de Soto, l'éléphante peintre de Chiang Mai dont le choix s'est imposé à lui, non sans une certaine influence de ma part. Les résultats de ce partenariat sont les plus encourageants qu'il ait jamais obtenus. Pour la première fois, il a bon espoir que mes caractéristiques requises (hémoglobine adaptée aux très basses températures, couche de graisse de 9 centimètres, épiderme protégé par un mètre de poils rigides) l'emporteront sur celles de ma descendante asiatique.

Là où il bute, en revanche, c'est sur la rédaction du discours qu'il prononcera au siège de l'OMRA. Sachant que la majorité des membres du jury est hostile au clonage, il s'efforce d'en gommer toute philosophie transhumaniste, toute dérive eugéniste, en se concentrant sur le refroidissement climatique auquel contribuera le retour sur Terre de mon espèce. Au bout du compte, il s'est résolu à pomper ardemment les brochures d'information publiées par Sergueï Zimov, dont les visions prophétiques et le lyrisme endiablé gomment avec bonheur les aspérités de la technologie en cause. Il y ajoute, comme le lui a conseillé l'éléphantologue d'Ivana Kadrova, l'espoir de créer dans les steppes de Sibérie un lien social et psychique entre ces proboscidiens empathiques et l'homme actuel, dès lors qu'il renoncera à les chasser pour devenir leur protecteur. « Recréer le mammouth, conclut-il, procède de la génétique, mais lui redonner place sur Terre relève de la psychologie. Il ne revivra que si l'on pénètre sa conscience, que si l'on se met à sa place pour voir le monde d'aujourd'hui avec ses yeux. »

Finalement, il se dit que sa communication ressemblera moins à un exposé scientifique qu'à une dissertation sur les *Métamorphoses* d'Ovide. Je ne suis pas en mesure d'apprécier. De toute façon, pour moi, c'est le résultat qui importe.

*

Lorsqu'il quitte, au milieu de la nuit, ses deux cents mètres carrés de lumière artificielle nichés derrière les colonnes d'une façade néo-corinthienne pour regagner son petit meublé en lisière du campus, il espère que deux ou trois heures de sommeil lui ramèneront Wendy, mais elle se refuse. Ou bien c'est lui qui, inconsciemment, lui a verrouillé l'accès à ses rêves.

Alors, dans son lit trop grand, il ressasse son principal problème, l'impasse qu'il a faite au niveau de l'immunité. Privilégier le métabolisme initial du mammouth au détriment de celui de l'éléphant sous-entend, a priori, que ses anticorps seront inadaptés aux maladies et pollutions modernes. Si un juré de l'OMRA soulève la question, il ne pourra que se retrancher derrière l'expectative. Tandis que la bonne santé flagrante d'un tardigrade après cent trente mille ans plaidera, évidemment, pour le projet des époux Lane. Surtout s'ils parviennent à faire éclore les œufs de Franquette pour engendrer, par les voies naturelles, une espèce contemporaine porteuse d'une protéine réparatrice aussi puissante qu'à l'origine.

C'est ainsi que mon candidat s'endort en me remplaçant une fois de plus dans sa tête par cet insecte assommant, qui n'a pas besoin comme moi d'être recréé artificiellement pour apporter sa contribution au genre humain. Je ne suis pas jaloux, mais le pessimisme de Frank, intimement lié à sa détresse affective, m'inquiète davantage que les verrous biologiques susceptibles de contre-carrer ma renaissance. D'autant qu'il se dit, non sans raison, qu'il a bien plus de chances de se réconcilier avec la femme qu'il aime si son mari l'emporte sur lui.

UN LÉGER PROBLÈME

Un matin, Wendy est restée bloquée dans la peau d'Alison. Elle ne s'est pas transformée en Gretchen après le petit déjeuner, et n'est pas redevenue elle-même au cours du repas de midi. Son mari a continué à l'appeler maman, même à l'issue de sa sieste, ce pic de lucidité où, depuis trois semaines, elle lui faisait lire à voix haute le texte qu'elle lui avait écrit sur moi pour le grand oral de l'OMRA. Voilà que, soudain, il n'arrivait plus à déchiffrer les mots.

Elle en a conclu qu'il avait dû faire un AVC durant son sommeil, mais le médecin n'en a pas décelé les symptômes ni les traces.

– C'est juste une évolution prévisible, l'a-t-il rassurée.

J'étais bien embêtée. Wendy allait devoir retirer

du discours l'allusion aux bienfaits de la DSUP sur l'Alzheimer. Elle commençait à se dire que ma protéine miracle avait dû être, à la longue, neutralisée par les anticorps de son mari. Mais elle n'allait pas pour autant déclarer forfait, surtout que la tumeur cancéreuse d'Ivana, elle, continuait à régresser fortement sans aucun autre traitement.

En fait, l'auxiliaire de vie qui s'occupait de Tyrone avait démissionné par épuisement, et le fils en avait profité pour remplacer discrètement les injections de ma protéine par des piqûres d'anesthésique dissociatif. La régression brutale du savant le priverait de son ultime heure de gloire, ce qui pour son héritier n'était que justice. Si vraiment ma DSUP pouvait offrir un débouché commercial, il en partagerait en temps utile la paternité et les royalties avec sa jeune veuve.

– Ne le brusquez pas, surtout, a conseillé le gérontologue. Tout ce qu'il lui faut, c'est du repos et de la sérénité.

Wendy espérait que son horloge interne se rétablirait les jours suivants, mais non. Du matin au soir, le vieux lion restait prisonnier de son enfance. Lui réapprendre à lire aurait pris trop de temps. Elle l'équipa d'une oreillette pour lui faire répéter mécaniquement les phrases qu'elle lui lisait à distance, mais il la retira pour la lancer à la chienne qui l'avala d'un bond.

– Va falloir que tu t'y colles, ma chère Wendy, soupire son beau-fils d'un ton de fatalité motivante. Tu iras toute seule à Genève, il n'est plus montrable.

Alors, elle dévisage le rejeton de Tyrone avec une attention, un intérêt qu'elle ne lui a jamais témoignés. Il en est tout remué. Au bout de dix secondes, elle demande :

– Et si tu te laissais pousser un bouc ?

Il hausse un sourcil, inexpressif. Elle précise :

– Ça cacherait la mollesse du menton. Le reste est raccord.

Bouche bée, il se tourne vers son père qui s'est rendormi. Au départ, son objectif n'était que le placement du vieux dans un mouroir spécialisé, mais la perspective que vient d'ouvrir Wendy mérite qu'on s'y attarde. Titillé par la revanche inattendue que lui offrirait une telle substitution, il détaille Tyrone comme un comédien observe la créature réelle qu'on lui demande d'incarner. Entre eux, la différence de tempérament et de charisme a toujours estompé la ressemblance. Pourtant, le regard est du même gris, les rides aussi prononcées et l'ossature du visage identique, mis à part le menton. Pour entériner la tentation, Dick retire la perruque de son géniteur et s'en coiffe devant le miroir de la cheminée. Il retient un sourire. Comme l'aurait dit la psy qui éponge ses névroses tous les jeudis depuis quinze ans, passer pour son père aux yeux du monde serait sans doute le meilleur moyen de le tuer. Mais il ne lui fera pas cet honneur.

— Hors de question, tranche-t-il en lui remettant sa perruque soigneusement de traviole. Et arrête de te cacher derrière son image, Wendy. Cet enfoiré de pygmalion a toujours piqué tes découvertes pour les publier sous son nom, il est temps que tu voles de tes propres ailes, non ?

— Je ne serais rien sans lui, Dick.

— Eh bien, tu le remercieras en lui organisant des funérailles grandioses. En attendant, saisis l'occasion d'exister par toi-même.

Elle prend un mouchoir, essuie le filet blanchâtre que font mousser les ronflements de Tyrone.

— Ce n'est pas de l'abnégation, Dick, c'est de la lucidité. Il y a deux autres Nobel parmi les candidats, moi je ne représente rien dans la communauté scientifique, personne n'a d'ascenseur à me renvoyer. En revanche, trois membres du jury l'ont eu comme prof, lui doivent leur carrière et lui réclament des préfaces. Mon dossier n'a des chances de gagner que si c'est lui qui le porte.

– Ben voyons. Tu imagines le scandale, si quelqu'un s'avisait de me reconnaître ?

– Personne ne te connaît.

La brutalité de l'argument lui déclenche un rictus de fierté vindicative.

– Justement, Wendy. Il m'a relégué dans l'ombre toute ma vie, de peur que je marche sur ses traces et qu'un jour je le dépasse. Hors de question que je m'abaisse à perpétuer la légende de ce monstre.

– Même pour cent millions de francs suisses ?

Les coins de ses lèvres s'affaissent. Il croyait que cette compétition entre projets animaliers était purement honorifique.

– Tu es sérieuse ?

– Lis le contrat.

Il s'appuie d'une fesse contre la table. Il se dit que, décidément, sa belle-mère est aussi forte pour lui briser le cœur que pour lui offrir les pièces de rechange. Cent millions de francs suisses. Lui qui a toujours vécu aux crochets de son père, voilà que sa rancune et sa frustration trouvent soudain le meilleur des exutoires dans cette forme d'investissement. Par souci de dignité, il se fait un devoir d'ergoter :

— En admettant qu'on gagne, je suppose que c'est une bourse de recherche avec justificatifs des dépenses engagées.

— Non, c'est une somme forfaitaire virée sur le compte du lauréat.

— Tyrone, donc. Et toi.

— Tu connais les termes de son testament : il ne me laisse que la maison, les animaux et sa voiture. Tout le reste te reviendra.

Les doigts du légataire s'accrochent au plateau de la table. La salive lui manque tout à coup. Il n'a jamais pris de risques dans sa vie, sauf au poker ; serait-il capable de relever le défi ? Machinalement, il remet d'aplomb la perruque sur la tête de Tyrone qui se réveille en sursaut, l'air apeuré.

— Maman, c'est qui, lui ?

— Ce n'est rien, mon trésor.

— Faut que je réfléchisse, marmonne l'intéressé en quittant le salon, pour ne pas offrir à Wendy la satisfaction d'un triomphe immédiat.

Le lendemain, il apprenait par cœur devant la glace le texte de présentation de ma protéine

DSUP. Quant à moi, vingt-cinq de mes œufs ont éclos sur vingt-neuf, et ma progéniture, bientôt apte à se reproduire, présente les caractéristiques biologiques espérées par Wendy. La seule chose qui la chagrine, outre l'état de son mari, c'est la perspective d'utiliser contre Frank l'atout que je représente, le cadeau qu'il lui a fait. J'en conçois, par voie de conséquence, une certaine forme de culpabilité.

LE RÈGNE ANIMAL

LE RÉGIME ANIMAL

Le grand jour est arrivé. Frank n'est plus que l'ombre de lui-même; le manque de sommeil, l'angoisse de la compétition et la perspective de revoir Wendy le minent, mais l'enthousiasme qui le porte demeure toujours aussi communicatif. Grâce à ses ajustements et à ses corrections sans relâche, j'ai atteint le stade du prêt-à-cloner. Malheureusement, le séquençage de mes huit cents dépouilles exploitables, nécessaire pour construire une population d'individus suffisamment différents, a explosé le budget du projet. Ni Pleistocene Park, ni l'université d'Harvard, ni le Musée d'histoire naturelle de New York ne peuvent se permettre une rallonge de crédits. Moyennant quoi, les ovulations menées à bien *in vitro* n'auront pas droit aux utérus artificiels sans la dotation d'Ivana Kadrova.

Le fait que mon retour sur Terre et l'avenir de l'humanité dépendent du bon vouloir d'une cyber-criminelle, une mutante qui s'est fait truffer de nanopuces pour accéder au rang de machine immortelle, n'incite pas forcément à l'optimisme. Certes, la milliardaire russe a rompu avec le trans-humanisme après quelques incidents de mainte-nance et elle s'est fait déséquiper, mais je nourris certains doutes sur la sincérité de sa conversion à la cause animale. Si son caniche ne lui avait pas détecté son cancer de la prostate, elle aurait sûre-ment continué à manger de la viande et à porter de la fourrure. Mais bon, sa misanthropie notoire peut suffire à justifier son amour des bêtes, et le discours inaugural qu'elle prononce sur scène galvanise les trois mille convaincus emplissant l'auditorium qui surplombe le lac Léman.

— Vous le savez, amis scientifiques et bénévoles de tout poil, harangue-t-elle au micro dans son treillis de soirée, l'énergie humaine est devenue si basse sur Terre que seuls les animaux peuvent la faire remonter. Par le pouvoir de leur intelligence, de leur amour inconditionnel, de leur pureté sauvage ou de leurs facultés psychiques. C'est le combat de ma vie, et toutes les armes que vous pourrez me fournir en ce sens permettront à nos congénères, je vous en fais le serment, d'échapper à la fatalité du post-humanisme aveugle, de la barbarie fanatique et du suicide collectif. Oui, la seule réponse à l'effondrement des sociétés humaines, c'est le *règne animal*. C'est à l'animal désormais de régner sur Terre, et c'est à l'homme de se soumettre à sa sagesse, sa connaissance des lois de la nature, son respect des écosystèmes, sa maîtrise de l'harmonie du monde. Alors, je vous laisse la parole. Surprenez-moi, épatez-moi, persuadez-moi. D'accord ? Faites-moi rêver, et je réaliserai vos rêves !

La troisième fortune mondiale quitte le plateau sous un déluge d'applaudissements et va se rasseoir modestement loin du jury, dans le fond de l'auditorium, à côté de la mère de ses enfants.

– Terriennes, Terriens, bonjour-bonsoir ! claironne le blondinet qui lui a succédé sur scène, présentateur vedette de la chaîne suisse qui diffuse le concours en mondiovision. J'ai l'honneur d'appeler à présent notre premier candidat, l'un des exemples les plus mystérieux du sixième sens animal. Faites un triomphe à son porte-parole le Pr Günther Wissmann, de l'université de Göttingen, Allemagne.

Un avorton à lunettes trottine jusqu'au pupitre. Réglé à la hauteur d'Ivana, le micro évoque au-dessus de sa tête une pomme de douche. L'ovation courtoise s'interrompt quand il incline le flexible jusqu'à ses lèvres, tandis qu'un poulpe aux tentacules en corolle s'anime sur l'écran derrière lui.

– Bonjour, Genève. Je pense que tout le monde se souvient de Paul, le céphalopode extralucide qui, depuis son aquarium d'Oberhausen, parvint à prédire le résultat des matchs du Championnat d'Europe de football en 2008 et de la Coupe du monde en 2010.

Une rumeur indécise ponctue la projection des vidéos d'époque.

– Avant chaque rencontre, on lui présentait deux boîtes portant chacune le drapeau d'une des équipes et contenant, vous le voyez, une même moule décoquillée. Et il ouvrait le récipient du futur vainqueur avec seulement deux erreurs pour quatorze réussites. J'ajoute que la seule fois où il observa une grève de la faim correspondit à un match nul.

Le statisticien laisse le temps à la salle de digérer l'information, puis reprend de plus belle :

– Or cet animal, le plus intelligent des invertébrés, ne distingue pas les couleurs. Il devait donc aller chercher son information *ailleurs*. Mais où ? Dans l'inconscient collectif humain, l'émanation des souhaits concrétisés par les paris ou les espoirs que nourrissait son expérimentateur ? C'est cette dernière hypothèse que sembla confirmer son successeur Rabiot, le poulpe japonais qui indiqua huit jours à l'avance les trois premiers résultats de la Coupe du monde 2018, avant d'être vendu aux enchères et mangé à l'apogée de sa cote de popularité. Mais mon équipe est allée plus loin. En laboratoire, nous avons confronté le ressenti d'une vingtaine de pieuvres communes associées à des médiums, certains travaillant en collaboration avec la police. Je vous laisse juge.

Derrière lui, des tableaux statistiques laissent entendre que la sensibilité du céphalopode s'exercerait *hors des limites du temps terrestre*, lui permettant de communiquer à l'homme, par télépathie, des informations sur son avenir et des éclaircissements sur son passé. Le poulpe Ingmar, qui pose sur l'écran aux côtés du chef de la police de

Westphalie, aurait notamment identifié un tueur en série, alerté sur l'imminence d'un krach boursier et levé le mystère sur la mort de Louis II de Bavière.

Bref, je demeure relativement serein, pour l'instant : ce n'est pas un pronostiqueur à tentacules qui sera en mesure de protéger physiquement la Terre contre les dangers du méthane et des virus oubliés qu'elle recèle sous la glace. Et je ne m'inquiète pas trop non plus quand, précédé de son hymne national, un représentant bulgare de l'araignée succède au fondé de pouvoir du poulpe, s'efforçant de convaincre l'assistance, images de synthèse à l'appui, que la soie arachnéenne est le matériau de l'avenir au niveau de l'isolation thermique, de la résistance aux chocs et de la défense aérienne, une toile d'une longueur initiale de trente kilomètres pouvant arrêter un Boeing 747 volant à trois cents kilomètres/heure.

– Et maintenant, place au meilleur ami de l'homme – et de la femme ! se délecte le présentateur, lorsque le Spiderman des Balkans s'est retiré sous quelques applaudissements polis. Accueillons la médecin capitaine Antonella Riggi, commandant la 5e brigade cynophile de la gendarmerie italienne.

Un malinois, une labrador et un mâtin de Naples entrent au pas sur scène, suivis par une belle brune moulée dans un uniforme au décolleté plongeant.

Là, j'ai du souci à me faire.

EUX ET MOI

Petite saucisse à pattes insignifiante, je suis tellement émue de concourir parmi ces virtuoses de la
sensibilité, de l'intelligence pratique, du dévoue-
ment et de la transmission de pensée... Au premier
rang des finalistes, celui qui tout à l'heure défendra
mes couleurs pose une paume conquérante sur la
main de Wendy. Elle le laisse faire, dominant sa
répulsion. Elle n'est pas mécontente du travail
accompli. Et, surtout, elle a de bonnes nouvelles de
Tyrone. Ce matin, il est sorti de l'enfance. Le nouvel
auxiliaire de vie qu'elle a formé, avant son départ,
applique les traitements avec rigueur et le rééduque
par le Scrabble, annonçant fièrement ses points au
téléphone. Il lui a également signalé la substance
anesthésique découverte dans son sang lors des dernières analyses. Elle n'en a pas fait mention à Dick.

– Ne te raidis pas quand je te touche, lui murmure-t-il, on est filmés.

Elle acquiesce. Il est parfait dans les habits de son père. Charmant avec les femmes et plus odieux que nature envers les flatteurs. Collègues et anciens étudiants de Tyrone feignent de le trouver merveilleusement conservé. En effet, vieilli de vingt ans sous la perruque brushée, virilisé par un bouc de la même blancheur, Dick fait mieux que donner le change ; il colle au personnage avec une vérité confondante. Il a enfin repris le pouvoir sur son père – de l'extérieur, du moins.

En réalité, il n'a jamais autant souffert de sa vie. L'épouse de l'ambassadeur de Grande-Bretagne, Jennifer Owens, la seule personne de l'assistance qui aurait dû déceler l'imposture, n'y a vu que du feu. Toute frémissante, elle a plaqué son corps contre celui qu'elle pensait être son ancien maître de recherche en biologie, et cette chaleureuse étreinte qui a bouleversé Dick n'a éveillé aucun soupçon en elle. Étant sortie avec le fils pour mieux entrer dans le lit du père, elle n'a visiblement gardé aucun souvenir tactile de son petit copain d'université. Dick ne s'en remet pas. La sensation de bénéficier enfin du rayonnement de Tyrone, loin de lui procurer la revanche attendue, ajoute à la haine du père le dégoût de soi. Tout son parcours sur Terre n'aura donc consisté qu'à entretenir sans le vouloir des traits de famille, et le fait que chacun soit dupe de la supercherie à laquelle il se prête aujourd'hui achève de détruire l'illusion de sa singularité. Il n'existe pas. Il ne *dit rien* à personne. Pire, l'épouse du diplomate lui a demandé d'un air de compassion polie comment allait « ce pauvre Dick ».

– Égal à lui-même, s'est-il entendu répondre.

Et à présent, assis dans l'auditorium en tant que mari à côté de celle qui, vingt ans après Jennifer, lui a elle aussi préféré son père, il se sent, face à la déférence de cette communauté scientifique qui ne lui a jamais accordé la moindre attention, comme un ventriloque humilié par le succès de sa marionnette.

– Pas trop le trac ? lui glisse Wendy quand il retire sa main.

– Pas trop, non.

Cette réponse qui aurait dû la rassurer l'inquiète un brin, par son ton caverneux. Elle évite de tourner la tête pour lui parler, de peur de croiser le regard de Frank, à huit fauteuils de distance. Lui ne la quitte pas des yeux, avec pour seule conséquence un torticolis. La veille au soir, déjà, au dîner de gala donné par Ivana Kadrova dans sa villa des bords du lac, elle l'a ignoré ouvertement. Plus douloureux encore : elle s'est montrée cordiale, comme avec chacun des autres concurrents, promenant de groupe en groupe son semblant de mari tel un trophée de chasse. Frank était si meurtri par son attitude qu'il n'a même pas décelé l'usurpation d'identité. L'unique message personnel qu'elle lui ait adressé, dissimulant de son mieux le déchirement de se sentir toujours amoureuse de lui, c'est un faire-part de décès énoncé avec une neutralité lourde de sens.

— Tu te rappelles Red Bill, mon perroquet soupirant ? Il s'est électrocuté jeudi en dépiautant le boîtier de l'alarme pour y installer notre nid.

— Paix à ses plumes, a répondu Frank en baissant la tête.

Elle a souffert de le voir s'identifier, à juste titre, et elle a rejoint le seul candidat capable de l'aider à faire son deuil, un ornithologue péruvien dont l'amazone à front bleu, Conchita, infiniment plus douée que feu Red Bill, connaissait plus de trois mille mots et les employait à bon escient quand on lui montrait les photos correspondantes. Mieux, son coach l'avait soumise à un protocole conçu par le biochimiste Ruppert Sheldrake : au rez-de-chaussée de sa maison, devant une caméra, il ouvrait des enveloppes qu'on lui avait classées au hasard et regardait les illustrations qu'elles renfermaient, tandis qu'à l'étage au-dessus la femelle perroquet, filmée elle aussi, prononçait les mots que lui suggérait chaque image. Le timecode des deux caméras prouvait que la transmission visuelle était quasi instantanée.

Tout ce que Frank voyait, lui, c'est cette femme aimée qui s'était sentie trahie. Ou qui, du moins, prenait prétexte de cet abus de confiance pour ne plus remettre son couple en question. Et il lui en voulait de cette lâcheté, de ce choix de la bonne conscience – là où, prise entre deux feux, elle ne faisait que se consumer d'avoir sacrifié une âme sœur dont l'absence lui était aussi douloureuse que la proximité.

Je suis bouleversée par le malentendu mutuel auquel ils sont en train de se résigner, alors que nous sommes faits pour cheminer ensemble, eux deux, le mammouth et moi – avec ou sans Tyrone. Quelle tristesse. Quel gâchis. Mais peut-être que je réagis de manière excessive parce que je suis en deuil, moi aussi. Tardix est mort d'épuisement à force de féconder mes œufs.

– Plus on sollicite les chiens d'assistance, poursuit la jeune militaire sur scène, plus ils révèlent de nouvelles capacités. Ainsi Brusca, à ma gauche, dressée à repérer les explosifs, a développé toute seule la faculté de détecter une crise d'épilepsie vingt minutes avant l'apparition des premiers symptômes, et elle prévient le malade par un signal dédié. Quant à Caruso, formé pour alerter les diabétiques lorsqu'il sent baisser leur taux d'insuline, on lui a fait respirer une molécule de coronavirus et il s'est montré infiniment plus fiable que tous les tests en vigueur sur le marché.

Elle arrête les applaudissements d'un geste martial, enchaîne :

– Verdi, lui, est guide d'aveugle. Quand son maître, victime d'un malaise, est tombé sur la voie à l'approche d'une rame de métro, il a sauté pour ramener ses bras et ses jambes à l'intérieur des rails, puis il s'est plaqué sur lui. Trois voitures leur sont passées dessus sans les blesser, avant que la rame s'immobilise. Il avait effectué exactement les mêmes gestes que les agents du métro s'ils avaient eu le temps d'intervenir. Les a-t-il « lus » dans leurs pensées ?

Elle laisse la salle méditer un instant, puis elle précise que sa hiérarchie l'a autorisée à prendre part à cette compétition, non pas dans la perspective d'une dotation qu'elle refuse par avance, mais pour sensibiliser la planète au merveilleux potentiel de ces chiens d'assistance, auxquels son pays ne sera plus en mesure de consacrer les crédits nécessaires si les députés italiens continuent à rogner sur le budget de la Défense.

Mission accomplie, elle laisse la place à un orthophoniste israélien qui, après avoir perdu dix ans à enseigner sans succès marquant le yiddish aux dauphins, s'est résolu à apprendre leur langue, un idiome composé de modulations infinies et d'effets de sonar reconstitués par logiciel. La conversation dans laquelle il se lance sur scène, en duplex avec un de ses élèves en piscine, n'a pas l'air de convaincre grand monde, à cause de la mauvaise visibilité des sous-titres. Vexé, il conclut sa démonstration en dénonçant certaines nations ici présentes qui, exploitant la confiance et le sens ludique des dauphins, les envoient poser des mines magnétiques sur la coque des navires ennemis.

Se succèdent ensuite le perroquet télépathe, une femelle chimpanzé employée comme détectrice de mensonge par la police congolaise, le cheval Peyo qui fait de l'accompagnement de mourants dans les maisons de retraite françaises, un couple de hiboux dressé par un collectif féminin pour apaiser les tensions dans les prisons iraniennes, puis une baleine dont le chant abaisse la fréquence des ondes cérébrales de l'auditeur jusqu'à le ramener au stade vibratoire du fœtus – ce qui provoquerait, chez certains malades, une régénération organique et osseuse d'une rapidité inouïe.

Captivée, je me régale au récit de toutes ces interactions qui, peu à peu, me donnent l'espoir que moi aussi je réussirai un jour à me faire entendre par les humains. Frank, lui, qui a renoncé à croiser le regard de Wendy, se ratatine à chaque nouvelle prouesse animale qui électrise la salle. Je le plains. Tous ces super-héros de la mer, de la terre et du ciel existent, ils sont présents physiquement ou réalisent sur l'écran des exploits commentés par leurs ambassadeurs – lui seul devra enthousiasmer le jury avec une espèce éteinte, à qui il faudra faire crédit sans autre argument que des conjectures.

– Et maintenant, articule le maître de cérémonie

avec une solennité soudaine, j'appelle notre avant-dernier candidat. Plus de quatre cents publications à son actif dans les meilleures revues internationales, douze livres de vulgarisation et un prix Nobel de physiologie en 1985, merci d'accueillir comme il se doit le Pr Tyrone Lane.

Une bonne partie de la salle se lève pour applaudir le doyen des concurrents.

– Sois à la hauteur, lui glisse Wendy, le sentant ébranlé comme elle par la force émotionnelle des derniers projets en lice. Je suis au courant pour l'anesthésique que tu lui as injecté. Si tu foires, je te dégage.

Aucune réaction. En appui sur la canne étayant son rôle, la doublure de Tyrone monte les trois marches de la scène en saluant de dos ses supporters d'un geste fixe du bras gauche. Arrivé au pupitre, il les fait taire d'un claquement de doigts, puis les jauge en silence par un lent balayage de son regard morne, tandis que j'apparais sur l'écran, démesurément grossie, pas vraiment à mon avantage. Quelques personnes gloussent dans la salle, tant mon physique ridicule contraste avec la noblesse des créatures qui m'ont précédée.

– Un peu d'indulgence, merci, chevrote l'imposteur dans le micro. Un peu de respect. Non mais quand même.

Les ricanements se coincent dans les gorges. Quelque chose ne va pas. Il ne tient plus son personnage. Il en a perdu la morgue, l'ironie provocatrice de vieux sage excentrique qui peut tout se permettre. Comme si les vêtements, la canne et l'affaiblissement de sa voix déteignaient. Après avoir reflété l'image impétueuse que ses pairs ont gardée de Tyrone, voilà qu'il accentue les marques de son déclin. Est-ce un excès de mimétisme ou le signe avant-coureur d'une vengeance différente de celle qu'il avait prévue ?

– N'attendez pas de moi que je vous fasse l'article, poursuit-il en crispant ses mains tremblantes sur le pupitre. Vous avez lu le dossier, vous savez déjà tout du potentiel thérapeutique de cet insecte auquel j'ai consacré ma vie – sauf une chose. Une chose que je me dois de vous dire en préambule. Ça ne marchera jamais.

Le silence se creuse dans le sifflement de sa respiration qu'amplifient les enceintes. J'ai peur de comprendre son revirement. Au fil des communications précédentes, il s'est dit qu'il n'avait aucune chance de gagner, alors il a choisi de me sacrifier pour s'offrir une autre forme de victoire.

– Jamais les autorités de santé n'accorderont, jamais, une autorisation de mise sur le marché à une protéine naturelle qui réduirait les profits de la chimio et de la radiothérapie. Gardez votre argent pour un autre projet, moi je renonce. Libre à vous de penser que, pour me dédire de la sorte, j'ai reçu des menaces de Big Pharma. Je m'en fous. Ma jeune épouse m'a trimbalé ici pour profiter de mon crédit et rapporter une bourse, mais j'en ai marre d'être baladé comme une icône, une relique, une tirelire. J'ai la maladie d'Alzheimer, d'accord? On me shoote au jus de tardigrade et vous voyez le résultat. Je veux qu'on me foute la paix. Peut-être qu'un jour mon fils Dick reprendra mes recherches et mènera à bien le combat que j'abandonne – vous verrez avec lui. Adieu. Merci de respecter ma sortie de scène et de ne plus m'adresser la parole. Qu'on m'envoie un taxi à l'entrée des fournisseurs. Je lègue ma femme à la science. Et gardez vos applaudissements pour mes obsèques.

Accentuant sa voussure et sa claudication, il sort par les coulisses dans une rumeur ponctuée de quelques flashs. Apparemment, ce n'est pas demain qu'on me décongèlera. Wendy s'est tournée vers Frank, effondrée. Ses larmes l'empêchent de voir s'il la regarde ou pas. Il a les yeux fermés, la tête renversée en arrière, le visage crispé dans une détresse incrédule. À la troisième phrase, il a reconnu le fils dans la contrefaçon pathétique du père. Atterré par le sabordage auquel il vient d'assister, il essaie de comprendre les motivations de Wendy. Ses hypothèses sont fausses, mais sa compassion totale.

— Sans transition, enchaîne le présentateur en désinfectant discrètement le micro avec une lingette, nous accueillons l'ultime candidat de cette session, le Dr Frank Debert, qui nous vient tout droit de la prestigieuse Harvard Medical School.

Frank bondit sur scène, dans un effort touchant pour faire oublier par son allant sportif la décrépitude complaisamment étalée par l'orateur précédent.

— Mesdames et messieurs, je vous salue. Orchoï, le mammouth laineux que vous contemplez derrière moi sur l'écran, avec ses quarante mille ans d'ancienneté, ses six tonnes cinq et son aptitude à fendre le sol de Sibérie pour qu'il regèle en profondeur, représente la seule espèce à même d'éviter que des milliards de tonnes de méthane et de gaz carbonique ne fassent disparaître la vie sur Terre. J'ajouterai deux choses : d'abord, l'exceptionnelle préservation de son ADN et sa compatibilité avec celui de l'éléphant d'Asie en font, c'est une certitude, le candidat idéal pour un clonage hybride respectueux de ses caractéristiques initiales. Ensuite, pour ceux parmi vous qui réprouvent les manipulations génétiques, je préciserai qu'en l'état actuel de nos connaissances, c'est l'homme, et non tel ou tel changement climatique, qui a fait disparaître cet animal au terme d'une chasse intensive. Nourriture, habillement, habitat, outils, armes… Tous les produits dérivés du mammouth faisaient de lui une cible idéale, ainsi que la déconcertante facilité avec laquelle il se laissait tuer, de par cette empathie et cette résignation face à la cruauté humaine dont témoignent encore aujourd'hui ses descendants. En redonnant sa chance sur Terre à ce merveilleux pachyderme que nos ancêtres ont exterminé, nous réglons une dette morale en même temps que nous investissons dans la survie de notre planète.

De trois quarts, il désigne les images en mouvement qui ont remplacé dépouilles intactes et squelettes de musée.

– Outre les informations fournies par ses vestiges, que savons-nous du mammouth ? Ce que nous en dit l'éléphant, à travers sa conformité génétique. Faut-il rappeler qu'il est l'un des rares mammifères à posséder la conscience de soi ? En tout cas, c'est lui qui réussit le mieux le test du miroir : non seulement il se reconnaît dans son reflet, mais il agit en fonction de son image, qu'il s'agisse pour lui d'effacer une croix qu'on a peinte sur son front, d'examiner une de ses dents douloureuses ou d'effectuer son autoportrait.

La salle réagit bruyamment aux scènes filmées à l'école de peinture de Chiang Mai, puis se tait par à-coups en découvrant deux mammouths de synthèse qui se font face, trompe levée, défenses torsadées en contact.

– Mais si son lointain ancêtre possédait la même conscience de soi, reprend Frank, témoignait-il d'une aussi grande empathie ? Eh bien, nous en avons un indice très fort : parmi les spécimens en bon état de conservation qu'il m'a été donné d'examiner, je suis tombé sur trois mammouths qui, au vu de leurs cavités maxillaires calcifiées, avaient survécu une dizaine d'années après avoir perdu toutes leurs dents.

Du bout de son crayon laser, il pointe l'agrandissement d'une mâchoire de soixante mille ans.

– Ce qui tend à prouver, mesdames et messieurs, que des membres de leur groupe les nourrissaient, au moyen de leur trompe, avec des aliments qu'ils avaient prémâchés – incroyable exemple de solidarité que l'on n'a observé, à ma connaissance, que sur une seule mâchoire d'*Homo sapiens*.

Il laisse l'assistance mesurer l'ampleur de l'information avant d'enchaîner :

– Bref, nous n'avons pas seulement besoin des prestations physiques du mammouth pour enrayer la fonte du permafrost, mais aussi de son intelligence et de sa bienveillance, dans l'espoir de compenser l'expansion galopante de la bêtise et de la barbarie qu'évoquait madame Kadrova.

Il attend que les applaudissements s'interrompent, avant de reprendre d'un ton plus sobre :

– Mais il y a un souci. Je suis certain de mon protocole, certain de mener à bien la naissance de mon mammouth hybride dans le respect de la dignité animale – hélas, je mentirais par omission si je vous cachais que ma certitude s'arrête là. Sans vouloir reprendre à mon compte le constat d'échec dressé par l'éminent biologiste auquel je succède devant vous, je dois reconnaître que le fabuleux projet que je défends aujourd'hui se heurte à un vrai problème. Comment cet animal préhistorique fera-t-il pour s'adapter et survivre aux pollutions que l'homme, en son absence, a infligées à son éco-système ?

Les spectateurs se dévisagent, ébranlés par ce contre-argument qui vient doucher leur enthousiasme.

— Eh bien, la solution m'est apparue voilà quelques minutes, lors du précédent exposé. Une solution dont pourrait bénéficier le mammouth, si toutefois le jury accepte que mon projet fusionne avec celui de Wendy et Tyrone Lane.

Dans la rumeur de stupéfaction qui parcourt l'auditorium, il conclut :

— Ainsi la bourse octroyée par l'OMRA permettrait-elle de faire renaître le mammouth laineux en lui donnant toutes ses chances de survie, grâce à la protéine DSUP du tardigrade. Wendy Lane est en train de démontrer que cette *Damage suppressor* peut réparer l'ADN humain endommagé par les cancers, l'Alzheimer, les radiations toxiques, les polluants aériens ou terrestres – pourquoi réserver cette protéine miracle à l'homme, dès lors que les autorités sanitaires s'emploieraient à lui en interdire le recours pour ne pas diminuer les profits de l'industrie pharmaceutique ? Merci de votre confiance.

Un profond silence précède une ovation entrecoupée de sifflets.

Une heure plus tard, le jury de l'OMRA monte sur scène en demi-cercle, entourant sa présidente.

– Au terme d'une délibération passionnée, voici ce qui a été décidé à l'unanimité, décrète Ivana Kadrova. D'une part, la remise d'une subvention spéciale de dix millions de francs suisses pour préserver les baleines et accompagner l'étude en cours sur leur chant thérapeutique, dossier qui sera autorisé à reconcourir l'an prochain. Et, d'autre part, l'attribution de la bourse internationale de l'OMRA au projet Debert-Lane, tel qu'il vient de nous être reformulé.

Les acclamations fusent, mais le public semble assez peu surpris. Moi, je ne m'attendais vraiment pas à un tel dénouement. Le mammouth non plus, d'après la soudaine perception que j'ai de son ressenti. C'est la première fois qu'un échange se produit entre nos deux consciences. Est-ce le faire-part de sa renaissance plébiscitée qui a réactivé l'esprit totem de son espèce, ou bien ma sensibilité qui désormais s'ouvre à la sienne ? Quoi qu'il en soit, dans la perspective de notre fusion génétique, il est temps que nous fassions connaissance.

QUAND VIENDRA L'HEURE
DE SE RÉSORBER

À la proclamation du palmarès, Wendy a aussitôt enjambé ses voisins de rangée pour se précipi-
ter dans les bras de Frank, sonné par la réussite de
son improvisation. Le long baiser qu'ils ont
échangé a légèrement choqué le jury, mais pas sa
présidente qui, une fois encore, recevait confirma-
tion que les animaux rendent les humains plus
humains.

J'ignore quel effet cette protéine d'insecte exer-
cera sur mon génome. Déjà influencé par l'ADN de
mon descendant asiatique avec lequel je me recom-
bine, je me demande en fin de compte ce qui restera
de moi, hormis l'apparence extérieure et l'impact
sur l'environnement. Ma seule certitude, c'est que
mes concepteurs sont sur la bonne voie. L'embryon
qu'ils ont obtenu à partir d'un noyau d'Orchoï

reprogrammé en cellule souche, enrichi de la protéine DSUP et placé dans un ovule dénoyauté de
l'éléphante Soto, a été transféré dans l'utérus artificiel construit en Sibérie par imprimante 3D. Et la
gestation se déroule à un rythme normal, si j'en
crois l'assoupissement de mes pensées qui peu à
peu s'incarnent dans le prototype hybride au travers
duquel je reverrai le jour. Ils lui ont déjà trouvé son
nom : le mammougrade.

Quand viendra l'heure de se résorber, ma
conscience s'éteindra pour se rallumer peu à peu,
j'espère, dans les connexions neuronales de cette
chair périssable qui m'aura tant manqué. Mon
dernier sentiment extérieur sera une gratitude infi-
nie, associée à la crainte de n'être point à la hauteur de vos espérances. Pauvres humains, pauvres
frères ennemis, pauvres prédateurs suicidaires,
vous n'êtes pas au bout de vos peines. Il faudrait
ressusciter tellement d'autres espèces, dont vous
n'avez même plus le souvenir, pour ramener la
Terre au niveau d'harmonie qu'elle connaissait
avant que vous ne la colonisiez… Il vous faudrait
reprogrammer tant de vies oubliées qu'il est sans
doute plus simple de vous laisser vous entretuer,
comme vous y invitent certains de vos prophètes.

Mais bon. Si, à mon modeste niveau de mammouth, je peux contribuer à différer la fin de votre monde, je n'aurai pas perdu mon temps – ce temps additionnel que vous m'offrez, en partenariat avec cette minuscule chenille à laquelle je n'aurais jamais pensé m'unir.

Une seule chose me rend optimiste, chère tardigrade. Quel que soit l'avenir de notre binôme, il aura scellé entre Frank et Wendy, ces deux obsédés de nos espèces, un lien plus fort que tous les rêves dont nous sommes le produit.

UNE AUTRE FORME DE VIE

Pendant que mes vainqueurs de l'OMRA s'étrei-
gnaient dans le ciel entre Genève et Londres, l'irré-
parable s'est produit à Oxford. En zappant dans sa
chambre, au beau milieu de la nuit, Tyrone Lane est
tombé sur lui-même. Il a d'abord cru à des images
d'archives, puis il s'est entendu se détruire au micro
par la bouche de son fils. Et il a vu Wendy et Frank
remporter leur trophée commun en s'embrassant
sur la bouche.

Depuis que son nouvel auxiliaire de vie avait
repris les injections de ma protéine, les effets de
l'anesthésique s'estompaient et les réparations
d'ADN s'accéléraient dans son cerveau, mais son
cœur avait du mal à suivre. Une chose était sûre :
en le suicidant aux yeux de la communauté scientifique, Dick venait de lui redonner la rage de vivre.

Sur la pointe des pieds, au rythme des ronflements de l'aide-soignant, il est descendu dans son laboratoire. Il a regardé les noms sur les capsules de gaz, puis il m'a sortie de l'azote pour me placer sur une lamelle du microscope. À mesure qu'il affinait les réglages, j'ai eu la délicieuse sensation qu'il essayait de se connecter, d'entrer en contact avec moi. Il a dit :

– Tu as gagné, Franquette. Et ce n'est qu'un début. Wendy est ma digne élève, mais ton vrai spécialiste, c'est moi. Continue de restaurer mes neurones, et j'écrirai ton histoire. Tu veux ?

Je ne savais comment traiter cette demande qui dilatait ma conscience de manière inconnue. Le froid l'a fait éternuer, et je me suis retrouvée sur le sol. Au bout de quelques instants à grossir le vide sous les lentilles du microscope, mon spécialiste s'est demandé ce qu'il faisait là. Ne se rappelant plus s'il avait dîné, il est remonté vers la cuisine en omettant de fermer la porte.

Une fois ramenée à la température ambiante, j'ai passé le restant de la nuit à explorer avec minutie le carrelage désespérément dénué de mousses et moisissures. L'instinct de précaution m'incitant à évacuer l'eau de mon corps, j'ai assisté une fois encore à ce que vous appelez ma cryptobiose. J'étais sereine. Il n'y avait plus qu'à attendre le retour de Wendy, qui ne manquerait pas de me ramener à la vie par un fragment de salade.

Au petit matin, le chat Elvis est venu inspecter les lieux. En coursant une fourmi sur le carrelage, il m'a boulottée accidentellement.

Je l'ai plutôt bien pris. Au départ. Et puis mes substances protectrices ont commencé à se déliter. Je n'avais jamais connu ce phénomène, ni dans la tourbe, ni dans la glace, ni dans les coulures de lave. Quelle ironie d'être conçue pour résister à tout, sauf à la digestion d'autrui... Mon rôle sur Terre allait donc prendre fin : j'avais transmis à mes descendants et à l'humanité ma protéine cadeau, qui perpétuerait mon souvenir à grande échelle. C'était déjà bien. J'étais triste de quitter ces humains auxquels je m'étais attachée, mais la curiosité l'emportait. Enfin, j'allais découvrir de quoi la mort serait faite.

*

Lorsque Wendy pose sa valise dans l'entrée, Elvis lui saute dessus pour un câlin vigoureux qui l'étonne. D'habitude, il lui fait la gueule quand elle revient de voyage, mais, depuis que mon corps s'est dissous dans ses sucs gastriques, j'influence ses élans comme ses rêves. Jusqu'à présent, l'unique chose que la mort physique ait changé pour moi, c'est que ma pensée ne fonctionne plus toute seule. C'est passionnant de partager l'existence d'un chat. Nous échangeons nos émotions et nous vivons en bonne intelligence.

Une autre surprise attend Wendy : Tyrone, à coups de mots compte-triple, est en train d'écraser au Scrabble son auxiliaire de vie. Elle l'embrasse, épatée par ses progrès.

— Où est mon fils ? s'informe-t-il avant qu'elle ait eu le temps de lui annoncer leur victoire. J'aimerais bien récupérer mes cheveux.

Désarçonnée par cette attaque de lucidité, elle lui restitue sa perruque en lui disant la vérité : Dick est rentré par un autre avion pour aller s'installer chez sa mère en Écosse. Elle vient d'hériter de son second mari ; il ne va pas la laisser toute seule dans ce grand manoir... Les déménageurs viendront prendre ses affaires.

— Je suis content pour lui, se félicite Tyrone en

allant se recoiffer devant le miroir de la cheminée. Il était temps qu'il vive sa vie.

– Tu ne lui en veux pas trop ? murmure-t-elle, une main sur son épaule.

– Au contraire. Les retombées sont excellentes : toute la presse veut savoir quelles menaces de labos pharmaceutiques j'ai subies pour jeter l'éponge de cette manière. J'ai dit à mon éditeur que je répondrais dans un livre. Et lui, là, enchaîne-t-il en se tournant vers Frank qui prend racine sur le seuil du salon, comment il s'appelle, déjà ?

Le cœur serré, Wendy le lui présente une fois encore en lui confirmant la grande nouvelle : leur tardigrade fusionne avec son mammouth.

– C'est ton amant ?

– Pas du tout !

– Pas encore, traduit-il en se laissant tomber dans son fauteuil. Il reste longtemps ?

Frank tourne un regard de détresse vers Wendy, qui ne répond pas. Alors, je convaincs mon hôte de sauter sur les genoux du vieil homme, qui en oublie aussitôt sa question pour le caresser.

– Quoi qu'il en soit, reprend-il sans lever les yeux du pelage, bravo pour cette fusion. J'ai mis une bouteille au frais.

Wendy passe dans la cuisine pour contenir son émotion. C'est là que l'auxiliaire de vie, d'un air penaud, lui confie qu'une de ses capsules de gaz réfrigérant était ouverte ce matin, et vide. Il a préféré ne toucher à rien. Elle se précipite aussitôt vers l'escalier.

*

À quatre pattes sur le carrelage, ils m'ont cherchée à la loupe durant une heure, avant de tourner un regard suspicieux vers le chat qui venait les aider. Frank l'a consolée de ma disparition pendant trois jours, puis la chambre d'ami lui est devenue insupportable. À quoi bon se réveiller au moindre craquement dans l'escalier, les yeux rivés sur la poignée de sa porte qui ne s'abaisserait jamais ? À quoi bon se cantonner le jour à une simple collaboration professionnelle, sous le regard inquisiteur du vieux lion qui rajeunissait à vue d'œil ? Tout ce que Wendy pouvait donner à Frank pour l'instant, c'était ma protéine afin qu'il l'incorpore à leur projet commun.

Diluant le dépit dans l'urgence, il est reparti en Sibérie au chevet de son utérus artificiel. La bourse de l'OMRA permettra d'en construire des centaines, où ma DSUP se combinera avec les gènes d'autres mammouths de différentes provenances.

Les semaines passent. Wendy et Frank ne communiquent plus que sur l'avancée de la gestation, les difficultés, les bugs et les espoirs. Tyrone, lui, a repris le whisky, le cigare, les balades à cheval et, surtout, l'écriture. C'est formidable pour moi. Jamais je ne me suis sentie aussi vivante que sous sa plume.

Wendy ne le voit plus qu'aux heures de repas, mais elle se refuse à le quitter sous prétexte qu'il redevient autonome. Frank respecte son choix. Blessée par ce respect qui frise le renoncement, elle passe de longues heures devant la télé avec un paquet de chips. Alors, le chat quitte le bureau de Tyrone et la rejoint pour se faire caresser. Personnellement, j'apprécie beaucoup ce contact dont mes dimensions réduites ne m'auraient jamais permis de bénéficier. J'ai de la chance d'avoir trouvé un hôte si enclin aux câlins. Le reste du temps, Wendy perpétue ma mémoire dans son labo en stimulant ma nombreuse progéniture, qui n'arrête pas de se reproduire. En toute modestie, ma mort se passe vraiment bien. Je suis juste désolée pour Frank dont le chagrin d'amour, au fin fond de la Sibérie, flamboie chaque fois qu'il incorpore ma protéine à une nouvelle cellule.

Mais tout a une fin, dans votre monde. Tyrone, maintenant qu'il a repris le contrôle de la réalité, souffre de voir sa femme s'enfoncer dans une dépression agaçante. Il a trop d'orgueil et trop d'amour pour se résoudre à la perdre en voulant la retenir. Alors, un matin, en descendant de cheval, il lui dit avec douceur :

– Je pense que tu devrais y aller.

Elle pose son sécateur au milieu des rosiers, sent une crispation envahir tout son corps. Elle bredouille :

– Où ça ?

– Frank t'attend pour la naissance de votre premier mammouth.

Maîtrisant son émotion, elle lui rappelle qu'il reste encore dix-huit mois de gestation.

– Pardon d'être brutal, Wendy, mais il va y avoir une autre femme dans ma vie.

Elle le regarde, inquiète, craignant une reprise de sa démence qui, après l'avoir ballotté dans son passé, le projetterait dans un avenir fictif.

– La mère de Dick m'a téléphoné, précise Tyrone

en regardant le cheval regagner l'écurie. Elle ne le supporte plus : elle préfère lui laisser le manoir. Je lui ai dit qu'elle pouvait se réfugier ici. Mais, vu les tensions entre vous...

Wendy en reste bouche bée. Il ajoute pendant qu'il se dirige vers le perron :

— Je t'ai imposé assez de choses.

Complètement déstabilisée par une situation qu'elle n'a jamais envisagée, elle le rejoint dans l'entrée en se raccrochant à la première phrase qui passe :

— Et... elle serait d'accord ?

— Je l'ai beaucoup fait souffrir, c'est vrai, mais il y a peu de chances que je la trompe, aujourd'hui... Quoique. La petite Australienne qui a commencé une thèse sur moi... Enfin, bon.

Il voit les larmes dans ses yeux, l'attire contre lui avec un sourire qui vacille.

— J'ai l'étoffe d'un centenaire, Wendy. Si tu attends que je sois mort pour le rejoindre, il se sera consolé avec une autre.

Et il va s'asseoir dans le salon pour retirer ses bottes. Elle se love au pied du fauteuil, pose la tête sur ses genoux. Il poursuit d'une voix plus tendre :

— Je ne me débarrasse pas de toi, chérie, je

t'envoie en mission. Je veux vivre cette aventure avec vous, à ma manière. J'ai fini mon intro, maintenant je vais écrire au jour le jour ce que vous allez créer en Sibérie. Ce sera raconté à deux voix : celle de Franquette et celle du mammouth. Tu m'enverras un rapport quotidien, promis ?

Il prend sur lui pour ajouter, le plus neutre possible :

– Et s'il préfère qu'on divorce...

Elle relève les yeux, répond :

– Je t'aime.

– C'est compatible.

*

Frank était fou de bonheur au téléphone, mais elle hésitait encore. Elle ne pouvait pas s'en aller sans consulter ses animaux. Quand elle a transmis au chat les images de son installation en Sibérie, il lui a tourné le dos pour aller gratter à la porte du bureau de son maître. Alors elle est sortie prendre l'avis du cheval. Darwin arrête de brouter, vient à sa rencontre. Il l'écoute, s'ébroue, pose ses naseaux sur son épaule droite, puis sur la gauche. Il se frotte un instant contre sa joue, après quoi il se retourne brusquement et part au galop vers le fond du pré pour rejoindre la jument du voisin.

Twiggy approche à son tour, tenant dans sa gueule le lapin vert en lambeaux dont elle a fait l'avatar de sa maîtresse. Elle le dépose à ses pieds, retourne lentement vers la niche. La gorge serrée, Wendy ramasse la peluche gluante et reste un long moment immobile dans le crachin venteux, regardant la grosse chienne se pelotonner dans son abri trop petit. Jamais elle n'a senti autant d'amour que dans cette feinte indifférence.

Un bruit de moteur retentit sur la route en contrebas. Aussitôt, Darwin revient au galop et Twiggy le rejoint à fond de train contre la clôture, la truffe aux aguets. Avec curiosité, ils observent le taxi en approche. Wendy a compris. Son mari ne lui laisse pas le temps de peser le pour et le contre, il la met devant le fait accompli. Dans ce décor ramené dix-huit ans en arrière, la scène va se rejouer à l'envers : cette fois, c'est elle qui part et la première épouse qui lui succède. Tout le monde se ligue pour lui faciliter les choses. Même son poste à l'université fera le bonheur de quelqu'un.

Le cœur gros et l'âme légère, elle retourne à l'intérieur. Elle trouve Tyrone dans son fauteuil au coin du feu, vêtu d'un costume de jeunesse, le chat sur les genoux et un vieux livre dans les mains, dont il remplit les marges avec des notes sur moi. J'adore l'inspirer. J'adore être son héroïne.

Il relève la tête en entendant craquer le parquet, adresse un sourire rassurant à son ancienne étudiante. Puis il referme ses mémoires parus l'année de leur mariage et lance en forçant l'allégresse :

– Ça y est, j'ai refait connaissance ! Je serai incollable.

Elle se penche vers lui dans un élan de gamine, dépose un baiser papillon sur sa bouche. Il ferme les paupières sans cesser de caresser le chat. Elle murmure :

– Merci.

– C'est moi. Vous revenez quand vous voulez, bien sûr. Ça nous fera plaisir.

Le carillon du portail retentit. Elle ravale ses larmes. Il rouvre les yeux et lui dit avec une intense douceur :

– Tu n'as plus à t'inquiéter, Wendy.

Il a raison : je suis là. Je veille sur mon auteur.

Post-scriptum

Si les personnages principaux de ce roman sont nés de mon imagination, leurs découvertes et leurs objectifs, aussi incroyables qu'ils paraissent, sont inspirés de faits réels.

Merci à Janot Lamberton, le glacionaute du Groenland qui, en 1996, ramena à la vie un tardigrade après cent trente mille ans de congélation. Les extraordinaires propriétés de sa protéine DSUP ont été découvertes par les chercheurs japonais Hashimoto et Horikawa, à partir de 2016.

Quant à Serguei et Nikita Zimov, le rêve aussi fou qu'indispensable qu'ils ont réalisé à Pleistocene Park continue d'alimenter les passions, les polémiques et l'espoir. Qu'ils trouvent ici l'expression de ma gratitude pour leur action comme pour les perspectives qu'ils m'ont suggérées.

Concernant le projet de clonage du mammouth laineux, la compétition reste ouverte à l'heure où j'écris ces lignes – notamment entre les équipes universitaires d'Harvard (Pr George Church) et de Kyoto (Pr Akira Iritani).

Enfin, les dangers planétaires liés à la fonte du permafrost sont une réalité que, malheureusement, je n'ai pas romancée.

Paris, janvier 2021

www.didiervancauwelaert.fr

DU MÊME AUTEUR

Romans

LES SECONDS DÉPARTS :

VINGT ANS ET DES POUSSIÈRES, 1982, prix Del Duca, Le Seuil et
Points-Roman

LES VACANCES DU FANTÔME, 1986, prix Gutenberg du Livre 1987,
Le Seuil et Points-Roman

L'ORANGE AMÈRE, 1988, Le Seuil et Points-Roman

UN ALLER SIMPLE, 1994, prix Goncourt, Albin Michel et Le Livre de
Poche

HORS DE MOI, 2003, Albin Michel et Le Livre de Poche (adapté au
cinéma sous le titre *Sans identité*)

L'ÉVANGILE DE JIMMY, 2004, Albin Michel et Le Livre de Poche

LES TÉMOINS DE LA MARIÉE, 2010, Albin Michel et Le Livre de
Poche

DOUBLE IDENTITÉ, 2012, Albin Michel et Le Livre de Poche

LA FEMME DE NOS VIES, 2013, prix des Romancières, prix Messardière
du Roman de l'été, prix Océanes, Albin Michel et Le Livre de Poche

JULES, 2015, Albin Michel et Le Livre de Poche

LE RETOUR DE JULES, 2017, Albin Michel et Le Livre de Poche

LA PERSONNE DE CONFIANCE, 2019, Albin Michel et Le Livre de
Poche

LA RAISON D'AMOUR :

POISSON D'AMOUR, 1984, prix Roger-Nimier, Le Seuil et Points-Roman

UN OBJET EN SOUFFRANCE, 1991, Albin Michel et Le Livre de Poche

CHEYENNE, 1993, Albin Michel et Le Livre de Poche

CORPS ÉTRANGER, 1998, Albin Michel et Le Livre de Poche

LA DEMI-PENSIONNAIRE, 1999, prix Version Femina, Albin Michel et Le Livre de Poche

L'ÉDUCATION D'UNE FÉE, 2000, Albin Michel et Le Livre de Poche

RENCONTRE SOUS X, 2002, Albin Michel et Le Livre de Poche

LE PÈRE ADOPTÉ, 2007, prix Marcel-Pagnol, prix Nice-Baie des Anges, Albin Michel et Le Livre de Poche

LE PRINCIPE DE PAULINE, 2014, Albin Michel et Le Livre de Poche

ON DIRAIT NOUS, 2016, Albin Michel et Le Livre de Poche

L'INCONNUE DU 17 MARS, 2020, Albin Michel

LES REGARDS INVISIBLES :

LA VIE INTERDITE, 1997, Grand Prix des lecteurs du Livre de Poche, Albin Michel et Le Livre de Poche

L'APPARITION, 2001, prix Science-Frontières de la vulgarisation scientifique, Albin Michel et Le Livre de Poche

ATTIRANCES, 2005, Albin Michel et Le Livre de Poche

LA NUIT DERNIÈRE AU XVe SIÈCLE, 2008, Albin Michel et Le Livre de Poche

LA MAISON DES LUMIÈRES, 2009, Albin Michel et Le Livre de Poche

LE JOURNAL INTIME D'UN ARBRE, 2011, Michel Lafon et Le Livre de Poche

J'AI PERDU ALBERT, 2018, Albin Michel et Le Livre de Poche

THOMAS DRIMM :

LA FIN DU MONDE TOMBE UN JEUDI, t. 1, 2009, Albin Michel et Le Livre de Poche

LA GUERRE DES ARBRES COMMENCE LE 13, t. 2, 2010, Albin Michel et Le Livre de Poche

LE TEMPS S'ARRÊTE À MIDI CINQ, t. 3, *in* THOMAS DRIMM, L'INTÉGRALE, 2016, Le Livre de Poche

Album jeunesse

ET SI TU ÉTAIS UNE ABEILLE ?, 2018, Michel Lafon

Récit

MADAME ET SES FLICS, 1985, Albin Michel (en collaboration avec Richard Caron)

Essais

CLONER LE CHRIST ?, 2005, Albin Michel et Le Livre de Poche

DICTIONNAIRE DE L'IMPOSSIBLE, 2013, Plon et J'ai Lu

LE NOUVEAU DICTIONNAIRE DE L'IMPOSSIBLE, 2015, Plon et J'ai Lu

AU-DELÀ DE L'IMPOSSIBLE, 2016, Plon et J'ai Lu

LES ÉMOTIONS CACHÉES DES PLANTES, 2018, Plon et J'ai Lu

LA BIENVEILLANCE EST UNE ARME ABSOLUE, 2019, Éditions de
l'Observatoire et J'ai Lu

Beaux-livres

L'ENFANT QUI VENAIT D'UN LIVRE, 2011, Tableaux de Soÿ,
dessins de Patrice Serres, Prisma

J.M. WESTON, 2011, illustrations de Julien Roux, Le Cherche-midi

LES ABEILLES ET LA VIE, 2013, prix Véolia du Livre Environnement
2014, photos de Jean-Claude Teyssier, Michel Lafon

Théâtre

L'ASTRONOME, 1983, prix du Théâtre de l'Académie française, Actes
Sud-Papiers

LE NÈGRE, 1986, Actes Sud-Papiers

NOCES DE SABLE, 1995, Albin Michel

LE PASSE-MURAILLE, 1996, comédie musicale (d'après la nouvelle de
Marcel Aymé, musique de Michel Legrand), Molière 1997 du meilleur
spectacle musical, à paraître aux éditions Albin Michel

LE RATTACHEMENT, 2010, Albin Michel

RAPPORT INTIME, 2013, Albin Michel

Composition : IGS-CP
Impression : CPI Bussière en avril 2021
Éditions Albin Michel
22, rue Huyghens, 75014 Paris
www.albin-michel.fr

ISBN broché : 978-2-226-46397-5
ISBN luxe : 978-2-226-18521-1
N° d'édition : 24545/01 – N° d'impression : 2055777
Dépôt légal : mai 2021
Imprimé en France